PARAPSYCHOLOGIE
PRATIQUE
POUR TOUS

DANS LA MÊME COLLECTION

Raymond RÉANT

PARAPSYCHOLOGIE PRATIQUE POUR TOUS

Préface par le Professeur
François SAISON

AUX CONFINS DE L'ÉTRANGE

PRESSES DE LA CITÉ
9797 rue Tolhurst, MONTRÉAL H3L 2Z7 Tél.: 382-5950

© Éditions du Rocher 1982
ISBN-2-268-00199-7

© Les Presses de la Cité, Montréal 1983
ISBN-2-89116-184-X

PUBLICATIONS ET ÉMISSIONS
(jusqu'en mars 1981)

17 mai 1973 : *Nostradamus,* n° 58. (Hebdomadaire.)

Juin 1973 : Productions Paris-Zurich-Films, « Les Voyants », Cinéma.

18 juillet 1974 : *Nostradamus,* n° 119. (Hebdomadaire.)

12 septembre 1974 : *Nostradamus,* n° 127. (Hebdomadaire.)

1974 : *Revue Métapsychique Internationale de Paris,* n° 19-20, page 128.

1975 : *International of Paraphysic,* vol. 9, n° 3. (U.S.A.)

26 février 1975 : Conférence à l'Université de Tours.

1ᵉʳ février 1975 : O.R.T.F.

23 mai 1975 : Réception, journal *International Paraphysic.* (U.S.A.)

4 juillet 1975 : *Second International congress on Psychotronic, Research-Monte-Carlo.* (Livre, Institut Métapsychique International de Paris.)

10 juillet 1975 : Réception du journaliste M. R. pour un article dans le journal *Le Soir.* (Belgique.)

20 juillet 1975 : Réception du journaliste M. B. pour un article dans une revue américaine. (U.S.A.)

21 juillet 1975 : Rencontre avec Lucien Barnier, journaliste Radio France-Inter. (Préparation d'émissions radiodiffusées.)

5 août 1975 : Emission radiodiffusée, en direct, sur France-Inter, avec Lucien Barnier. (Talma.)

19 août 1975 : Emission radiodiffusée, sur France-Inter, avec Lucien Barnier.

20 août 1975 : Emission radiodiffusée, sur France-Inter, avec Lucien Barnier.

21 août 1975 : Emission radiodiffusée, sur France-Inter, avec Lucien Barnier.

26 août 1975 : Emission radiodiffusée, sur France-Inter, avec Lucien Barnier.

27 août 1975 : Emission radiodiffusée, sur France-Inter, avec Lucien Barnier.

28 août 1975 : Emission radiodiffusée, sur France-Inter, avec Lucien Barnier.

25 septembre 1975 : Emission radiodiffusée, sur France-Inter.

16 octobre 1975 : Rencontre avec le journaliste Chassoto, pour un article dans son journal.

24 novembre 1975 : Interview avec le journaliste Alain Sotto, pour un article dans la Revue *Psychologie.*

Décembre 1975 : *L'Escapade* (Livre) par Anne-Marie Goetzinger.

11 décembre 1975 : *Hemmets Journal,* n° 50. (Finlande.)

12 décembre 1975 : Interview avec l'éditeur de *Psi International,* 1. M. La Croix, pour un article dans sa revue.

22 janvier 1976 : Conférence à l'Université de Compiègne, de 20 heures à 24 heures.

12 février 1976 : Emission radiodiffusée, en direct, sur Radio-Monte-Carlo, dans le dossier du Surnaturel, avec M. Rousseau et M. Détante.

13 février 1976 : Emission radiodiffusée, en direct, sur Radio-Monte-Carlo, avec le Professeur Robert Toquet, de l'Institut métapsychique international, et François Favre, du groupe d'études et de recherches en Parapsychologie.

21 février 1976 : Enregistrement avec Mitza Facoli, journaliste à Radio France-Inter (Afrique.)

1976 : Revue *Ark'All Communication,* vol. 2, fasc. 2.

19 mars 1976 : Enregistrement pour France-Inter.

Mars 1976 : Revue *Psychologie,* n° 74.

18 avril 1976 : Emission radiodiffusée sur France-Inter, dans « l'Oreille en coin », avec Emmanuel Denne.

24 avril 1976 : Emission radiodiffusée en direct sur France-Inter, avec ma fille Yolande et Emmanuel Denne, dans « l'Oreille en coin ».

4 mai 1976 : Emission radiodiffusée en direct, sur France-Inter, avec Emmanuel Denne, dans « l'Oreille en coin ».

19 mai 1976 : Conférence à l'Université d'Amiens, sur l'information paragnostique, du 19 mai au 23 mai.

24 mai 1976 : *Le Courrier Picard,* Journal.

16 juillet 1976 : Rencontre avec Tchou, éditeur, et Claire Parenti, pour l'édition de mon livre, fait en collaboration avec M. A. Sotto.

Juillet 1976 : Revue *Marie-Claire,* n° 287.

2 décembre 1976 : Visite à mon domicile, de Paméla De Mégret, et de Alan Neuman, des productions Inc Cinématographiques (Hollywood, California) pour organiser le tournage d'un film, dans lequel j'ai participé.

3 décembre 1976 : Tournage du film (Production Alan Neuman, Hollywood).

24 janvier 1977 : Conférence au Groupe d'études et de recherches en Parapsychologie, salle Psyché, Paris.

7 février 1977 : Alain Sotto me dédicace son livre *La Télépathie* (Edition Retz) dans lequel je figure.

24 février 1977 : Début de mes cours à l'Université Pluridisciplinaire.

10 février 1977 : Emission en direct à la Télévision, sur Antenne 2 dans l'émission « Vous avez dit " Bizarre " ».

27 juin 1977 : Conférence de Presse aux Téléproductions Gaumont, avec Marc de Smedt.

28 juillet 1977 : Emission radiodiffusée, en direct, sur France-Inter, avec le journaliste Lucien Barnier, de 16 heures à 19 heures.

29 juillet 1977 : Emission radiodiffusée, sur Radio-Monte-Carlo avec M. Bouret. (Retransmise le 30/7/77 à 20 h 30.)

30 juillet 1977 : Emission sur R-M-C. (Du 29/7/77.)

Juillet 1977 : Revue *Marie-Claire,* n° 299.

Août 1977 : Revue *L'Inconnu,* n° 19.

Octobre 1977 : Revue *Marie-Claire,* n° 302.

Octobre 1977 : Revue *L'Autre Monde,* n° 13.

Novembre 1977 : Revue *Bonne Soirée,* n° 2909.

Novembre 1977 : *PSI Réalité,* n° 2.

Novembre 1977 : Revue *L'Autre Monde,* n° 14.

Décembre 1977 : Revue *PSI Réalité,* n° 3.

Décembre 1977 : *PSI International.*

1977 : Livre, *Ces Médiums qui ont vaincu la matière,* Editions Tchou, par Michel Mélieux et Jean Rossignol (Yolande et Raymond Réant, page 280).

1977 : Livre, *Au-delà de la mort,* par A. Sotto, Presses de la renaissance (Aurore, Yolande, Andrée et Raymond Réant, pages 120 à 121 et 269 à 276).

1977 : Livre, *La Télépathie* par Alain Sotto, sous la direction de Rémy Chauvin, Edition Retz, pages 170 à 173. Et dans la collection « J'ai lu », pages 182 à 187.

1977 : *Ark'All communication*, vol. 2, fasc. 1, pages 65 à 77. (Revue.)

1977 : *Pouvoirs étranges d'un clairvoyant*, Editions Tchou, par Réant et Sotto.

11 mars 1978 : Conférence et débat, sur les phénomènes paranormaux. Maison des handicapés physiques, à Neufmoutier en Brie.

Mars 1978 : *Le Surnaturel face à la science*. (Revue.)

28 avril 1978 : Livre, *Les Enfants Extrasensoriels et les pouvoirs*; Editions Tchou, par Jean-Paul Bourre, pages 149-159-160.

Mai 1978 : *L'Autre Monde,* n° 20.

4 juin 1978 : Tournage d'un film, à mon domicile, pour la Télévision, et la radiodiffusion belge, sur mes expériences psychopathotactiques, par le journaliste belge, M. Deser, en présence des membres du groupe pluridisciplinaire. Etaient présentes 14 personnes.

7 juin 1978 : Emission radiodiffusée, sur France-Inter, dans l'émission « Ici l'ombre » avec Jacques Pradel et H. Gougaud.

20 juin 1978 : *Nostra,* n° 376. (Hebdomadaire.)

26 juin 1978 : Annonce radiodiffusée, sur France-Inter, par J. Pradel et H. Gougaud, de ma conférence à l'école d'informatique, organisée par la fondation Pluridisciplinaire, pour le 27 juin 1978.

7 juillet 1978 : Emission sur France-Inter, avec J. Pradel et H. Gougaud, dans « Ici l'ombre », à 20 heures.

10 août 1978 : Emission radiodiffusée sur France-Inter (Talma) avec H. Gougaud et J. Pradel. Dans « Ici l'ombre », à 20 heures.

22 août 1978 : Enregistrement à mon domicile, pour France-Inter.

1978 : Livre, *Le guide de la France des Guérisseurs,* par Marc de Smedt, pages 75 à 92, aux Editions Retz.

Septembre 1978 : Revue *PSI Réalité,* n° 9.

Septembre 1978 : Télé-Revue, *Télé-Star,* n° 102, du 16 septembre 78.

12 septembre 1978 : Enregistrement pour France-Inter, par Jacques Pradel, au domicile de Francis Mazière, à 22 heures, pour des expériences de psychopathotacties, pour l'émission, « Ici

l'ombre ». Retransmises sur les ondes, le 13 septembre à 20 heures.

19 septembre 1978 : Emission en direct à la Télévision, sur Antenne 2, dans « Les dossiers de l'écran ».

27 septembre 1978 : Emission radiodiffusée, sur France-Inter, de 15 à 16 heures. Avec J. Pradel, et H. Gougaud, dans « Ici l'ombre ».

Octobre 1978 : Hebdomadaire, *L'autre Monde*, n° 25.

15 septembre 1978 : Tournage d'un film, pour la Télévision (TF1) au Palais-Royal, pour une interview sur la télépathie.

Octobre 1978 : Revue *PSI Réalité*, n° 10.

Novembre 1978 : Revue *PSI International*, n° 7.

26 novembre 1978 : Conférence au Congrès International de Bruxelles, et présentation par Mme et le Dr D... au Prince Charles de Belgique, à 14 h 30.

27 décembre 1978 : Livre, *La Parapsychologie*, (Tchou-Laffont). « Les pouvoirs inconnus de l'homme, l'infini sursis ; pages 56-57-64-65-66.

Décembre 1978 : *Nostra*, n° 348, Hebdomadaire.

9 juin 1979 : Emission radiodiffusée, sur France-Inter, avec les enfants, dans l'émission « l'Oreille en coin ».

3 septembre 1979 : *Nouvel Espoir*, Revue.

29 septembre 1979 : Journal *Banco*, n° 173.

29 septembre 1979 : Exposé au 29e Congrès sur les thérapeutiques naturelles, à l'Hôtel Hilton. Paris.

Novembre 1979 : *Die Neue Hoffnug* NR 11 (Allemagne) Revue.

Décembre 1979 : *Ark'All Communication,* vol. 5, fasc. 3, pages 101 à 106.

Décembre 1979 : *Revue du Magnétisme.*

Février 1980 : *Thérapeutiques naturelles,* n° 26. (Février 1980.)

25 mai 1980 : Emission radiodiffusée, sur France-Inter, témoignage de Mme Eliane.

13 mars 1981 : *Le Figaro,* n° 11 360, p. 14.

18 mars 1981 : Emission sur France-Inter, avec Eve Ruggieri et Ive Ligon.

11 avril 1981 : Télévision sur T.F.1, dans l'émission « Temps X ».

2 février 1981 : Dans *Initiation à la parapsychologie,* La Presse, Collège Marie-Victorin, Montréal Canada.

6 mars 1981 : La Presse, Montréal Canada.

PRÉFACE

Dans son précédent ouvrage, Raymond Réant abordait, sous forme autobiographique, l'étude de nombreux phénomènes psychiques, montrant qu'il existe entre eux une progression naturelle, et que, du plus simple au plus complexe, ils se rattachent l'un à l'autre de manière continue.

Le présent volume va encore plus loin ; il ne rentre pas dans les cadres classiques, et on aurait tort de le confondre avec la plupart de ceux relatifs à ces phénomènes. Son but essentiel est de rendre chacun conscient du fait que c'est un homme qui l'a écrit, un homme comme vous et moi, et que ce qu'il a fait, d'autres peuvent le faire : en apprenant à reconnaître en nous les forces latentes de la nature, nous les verrons bientôt se manifester.

Ce livre est donc avant tout un précieux recueil de renseignements pratiques et de descriptions d'expériences, avec toutes les circonstances et tous les détails, même les plus anodins en apparence : observateur — subjectif bien sûr — mais d'une honnêteté scrupuleuse, Raymond Réant raconte ce qu'il a « vu » et ce qu'il a « fait », en accumulant les preuves qui corroborent le récit de ses promenades à travers le temps, l'espace, et la matière. Il propose également, résultats à l'appui, quelques-unes des méthodes d'apprentissage et d'entraînement qu'il a mises au point pour ses élèves.

Mais surtout, au-delà de l'aspect expérimental, il nous invite à nous identifier à lui pour vivre sa vie morale : oui, morale. Raymond Réant est un virtuose, c'est vrai ; c'est plus encore un homme de cœur, d'une profonde bonté, le problème éthique le hante sans cesse, et il nous fait part de ses doutes, de ses erreurs, des risques — pour les autres et pour soi-même — et des moyens de les prévenir.

Enfin, recherchant avant tout la vérité et la lumière, il s'élève au-dessus de la vie individuelle, et nous expose ses conceptions métaphysiques, à la fois départ et aboutissement de ses recherches, et auxquelles aucun lecteur ne restera insensible.

En effet, l'opinion sur ce point d'un homme qui n'est pas seulement un des sujets les plus doués et les plus efficaces de notre époque, mais également un penseur sincère et généreux, est particulièrement digne d'intérêt. Certains n'oseront sans doute pas suivre Raymond Réant jusqu'au bout, lorsqu'il affirme que la foi est la base de tout progrès humain ; du moins conviendront-ils, à la lecture de ce livre, que ses progrès sont à la mesure de sa foi.

Professeur François S<small>AISON</small>

INTRODUCTION

Ce que je fais, d'autres peuvent le faire.

« Il ne faut pas juger son prochain, sans avoir préalablement chaussé durant quinze jours ses escarpins. »

C'est un proverbe indien et c'est le but de ce livre. Faire chausser mes escarpins aux sceptiques et aux ignorants qui ferment les yeux et les oreilles. Ce que je vois, d'autres peuvent le voir. Ce que je fais, d'autres peuvent le faire. C'est ce que j'enseigne à ceux qui me le demandent, tous peuvent l'apprendre.

Je vais tenter de l'expliquer dans ces pages, mais déjà, que mon lecteur soit persuadé qu'il n'y a pas de mystères. Simplement des choses que nous ignorons. Ce sont elles que nous allons éclairer à la lumière de nos expériences.

Les hommes ont souvent tendance à compliquer les choses alors qu'elles sont généralement toutes simples.

Le développement des facultés psychiques peut, en certains cas se faire naturellement, mais aussi s'enseigner et s'apprendre au même titre que toutes les sciences. Tout le monde possède le « don ». Il ne s'agit pas de facultés propres à un individu, mais de facultés qui peuvent être cultivées.

Toutes les possibilités psychiques sont à la portée de chaque individu. Evidemment, il y a parfois des infirmités. De même qu'il existe des gens qui ne peuvent chanter juste, il existe, dans ce domaine, des personnes maladroites… Mais elles sont assez rares.

C'est à la demande de ceux que mes « travaux » intéressent, que j'ai rédigé, le plus simplement possible, les documents qui vont suivre.

La nature particulière de certains documents, m'a incité à préserver l'anonymat des personnes concernées, je remercie tous ceux, anonymes ou non, qui ont permis la réalisation de ce livre.

Le monde subit actuellement une modification profonde. La pensée remonte à la surface du marais matériel, où elle fut pendant un certains temps recouverte par l'épaisse couche vaseuse qui en masquait la vue. L'homme se rend compte, à présent, qu'il a besoin de savoir, de tout savoir. Il barbote dans l'existence matérielle, et n'y trouve que des objets sans vie, maquillés par divers artifices crées par une société tremblant sous l'empire de la mort. Il se demande pourquoi tant de mouvements et de discussions stériles, pour ce peu de temps à passer sur la terre ? Lorsque le râle de la mort lui aura arraché le dernier souffle, que restera-t-il de tout cela ?

Je pense à la citation que ma fille m'a faite ;

« Astiquons les cuivres de notre destinée, afin que celle-ci devienne brillante. »

En écoutant ces mots, je voyais en elle la puissance de la jeunesse, qui dispose devant elle d'un temps qui lui paraît infiniment grand, presque éternel.

Mais le temps passe, et lorsque la jeunesse s'enfuit dans la nuit du passé, l'inquiétude envahit progressivement l'esprit humain, qui se demande ce qu'il adviendra de lui après la mort.

I

AUTOBIOGRAPHIE

Ma grand-mère maternelle était douée d'une faculté de voyance assez exceptionnelle. Une année avant sa mort physique, alors que je lui présentais mes vœux pour la nouvelle année, elle me répondit calmement ;

« Mon cher petit, je suis heureuse, car, depuis ton plus jeune âge, tu as toujours été le premier, sans manquer une année, à me présenter tes bons vœux... Cette année sera la dernière. Avant la venue de la suivante, j'aurai rejoint ceux qui sont partis avant moi. »

En fin d'année, une semaine avant sa mort, grand-maman me fit appeler, et me dit ;

« Dans une semaine je ne serai plus de ce monde, et je voulais te voir, avec Andrée (ma femme) et ma petite-fille Yolande (ma fille) ».

Ce jour-là j'avais apporté un magnétophone, et, pour m'être agréable, elle accepta de chanter, afin que j'enregistre ses chansons que nous aimions entendre à l'occasion des fêtes de famille. Sa voix était douce à entendre, et ses chansons ne furent jamais réécoutées, tant le souvenir reste vivant en nous, et afin de ne pas « revivre » ses derniers moments.

Six jours plus tard, je fus appelé avec ma petite famille, ainsi que quelques-uns de mes oncles, tantes, cousins, cousines, mon père et ma mère. Grand-maman nous annonça que sa mort était proche et nous demanda de rester près d'elle. Quelques heures plus tard, elle mourut sans souffrir, nous ayant parlé jusqu'au dernier moment. Elle avait exprimé le désir d'être inhumée sans fleurs ni couronnes, mais insista pour que soit mise sur elle une rose rouge, et que l'intérieur de son cercueil et son linceul soient de couleur rouge. Ce qui fut fait.

Je ne voudrais pas rabâcher mon autobiographie de jeunesse, suffisamment racontée dans *Pouvoirs étranges d'un clairvoyant*. Néanmoins je crois utile de redire certaines choses et de revenir sur certains événements qui m'ont troublé en leur temps et dérangent ceux qui m'interrogent.

Deuxième d'une famille de cinq enfants, je suis né le 23 octobre 1928 à Liévin, Pas-de-Calais.

Tout a commencé alors que je n'avais pas encore six ans. Nous habitions dans une cité appartenant aux mines, « Cité Hollandaise » constituée par de charmants petits pavillons, qui bordaient une route bitumée. Chaque maison possédait un jardin. Au bout du nôtre paraissait, en contrebas, une voie ferrée que surplombait un pont, tout de suite après le jardin de notre voisin de droite. J'adorais regarder passer les trains, dont la fumée des locomotives à vapeur venait embuer le pont, tandis que, passants, cyclistes et automobilistes circulaient, apparemment indifférents à ce spectacle, qui me semblait fantastique.

C'est à cette époque que se révélèrent, dans de curieuses circonstances, mes facultés dites « paranormales ».

Notre famille avait l'habitude de se réunir chaque semaine, pour parler de problèmes religieux, et discuter de la Bible. Les récits de la vie de Jésus-Christ me passionnaient. Une phrase m'avait particulièrement frappé :

« Je me ferai connaître aux petits enfants » (ou quelque chose de semblable). Je désirais ardemment voir Jésus et, dans ma petite tête d'enfant, je fis pendant plusieurs soirs des prières pour que mon vœu fût exaucé, mais en vain. Déçu, je cessai.

Quelque temps après, mes parents étant invités chez des amis voisins, seul à la maison, je m'apprêtais à dérober des sucreries dans le buffet fraîchement ciré, qui embaumait.

Tout paraissait calme. Soudain, je sentis une présence mystérieuse. Je levai la tête, et, à ma grande surprise, je vis le visage
de Jésus-Christ qui me regardait. Son corps commençait à se
matérialiser. Je fus saisi de stupeur. Peur ou joie, je ne savais
pas.

Tandis que je restais figé sur place, le corps de Jésus
continuait d'apparaître, flottant entre le sol et le plafond. Il
me regardait avec un sourire attendri qui exprimait l'amour.
Ses moustaches et sa barbe d'un blond-roux, avaient le même
reflet que ses longs cheveux qui lui tombaient sur les épaules.
Je fus incapable de prononcer un mot pendant un temps qui
me parut très long. Alors, d'une voix douce, à la fois proche et
lointaine, il me dit ;

« Sois sans crainte, je suis venu vers toi. »

Je me suis mis à balbutier : « C'est vrai... Tu existes... Tu
peux repartir, je... Je... » Je ne pus rien ajouter de plus. La
sensation était ineffable. Jésus-Christ disparut comme il était
venu : il se dématérialisa.

Je restai encore quelques instants paralysé par cette apparition survenue à un moment où je me croyais seul, bien à l'abri
des regards indiscrets, pour accomplir mon petit larcin...
Etait-ce un reproche ? Je ne le crois pas. Il m'avait fait cette
surprise, pensai-je, parce que j'avais passionnément désiré le
voir.

Puis je me suis mis à crier de toutes mes forces. Mes parents
et leurs amis accoururent aussitôt, craignant qu'il ne me soit
arrivé quelque accident.

Sous le coup de l'émotion, je continuais à crier, pleurant et
riant à la fois, tandis que mon père et ma mère, extrêmement
inquiets, me pressaient de questions. Au bout de quelques
minutes, je pus enfin leur raconter ce qui s'était passé.

C'est à partir du jour où Jésus-Christ m'est apparu, que mes
facultés dites « paranormales » prirent naissance. Depuis, je
vois se dérouler des scènes du passé, soit spontanément, soit
par un désir motivant. (Voir *Pouvoirs étranges d'un clairvoyant*.)

J'ai ensuite cultivé cette faculté.

Pourquoi l'ai-je reconnu, et pourquoi n'ai-je pas douté ?
« Celui qui a vu, même une seule fois le regard de Jésus-Christ, ne peut ni douter, ni l'oublier. Ses yeux émettent un rayonnement indescriptible, d'où émane une sensation d'amour, qui envahit totalement le corps de celui ou de celle, qui ont eu le bonheur de le voir. »

Il fut assez fréquent, comme nous avons pu le constater, ma femme et moi, que le Christ manifeste sa présence sous la forme d'une boule (comme un soleil) d'une lumière éclatante, presque irréelle, d'un blanc argenté. Dans ce cas, les sensations ressenties, furent semblables à celles des apparitions sous forme humaine, même le son de la voix.

Je sais, par expériences personnelles, dont l'une a été relatée, le vendredi 7 juillet, à 20 heures, sur France-Inter, dans l'émission « Ici l'ombre », qu'il est possible à un être humain, de réaliser une telle manifestation, mais les sensations ressenties alors, ne sont pas du tout les mêmes. (Voir chap. X, « Effet fantomatique ».)

Le doute est l'ennemi du psychisme

Comme chacun le sait, le doute est l'incertitude quant à la réalité d'un fait, la vérité d'une assertion.

Le doute plonge l'individu dans un état de réflexion plus ou moins confus, pouvant aller du simple blocage à l'abandon total de la motivation. Lorsque le doute présente une importance particulière, il doit être minutieusement analysé, avec obstination, jusqu'à ce que la « lumière » se fasse. (Voir à « La loi des pensées » p. 214.)

Le doute est un obstacle, un mur de prison qu'il faut briser, afin de ne pas demeurer esclave d'une pensée pouvant devenir négative, destructive, ou obsédante, susceptible de gâcher le cours d'une vie, ou de donner jour à de graves erreurs.

Le doute est un ennemi du psychisme, un abcès qu'il faut percer, afin de ne pas empoisonner le cerveau par des pensées perturbatrices, susceptibles de nourrir une inquiétude profonde.

La foi patiente

La foi, cette croyance en quelque chose, ou en quelqu'un, et en particulier pour des choses qui ne sont pas absolument prouvées, doit être entretenue sans cesse, pour la réalisation du développement spirituel, et des facultés psychiques.

Pour cela, il convient de répéter, de soutenir inlassablement que la chose à laquelle l'on croit est vraie, afin que cette certitude s'inscrive, s'incruste, de façon indélébile dans votre propre subconscient.

Le subconscient représente la demi-conscience de notre sentiment intérieur, par lequel nous nous rendons personnellement témoin d'une chose, d'une vérité, ou d'une réalité.

Ce sentiment, à demi endormi, doit être éveillé par des sollicitations répétées.

Après avoir été longuement excité, enregistré, le message demeure dans notre esprit, sans négation, selon notre désir.

En résumé : après avoir pris connaissance et bien déterminé ce que nous désirons développer en nous, ou voir se réaliser, ayons la certitude que nous pouvons accéder au but que nous nous fixons, envisageons d'avance le succès, sans aucune négation.

Ce que je fais, tout être humain peut aussi le faire. Ce que j'ai compris d'autres peuvent le découvrir sans doute.

Saint Thomas d'Aquin disait ceci :

« Toute idée conçue dans l'âme est un ordre auquel obéit l'organisme : Ainsi, la représentation de l'esprit, produit dans le corps une vive chaleur ou le froid ; elle peut engendrer, ou guérir la maladie. »

II

PSYCHOPATHOTACTIE

« J'ai vu, je vois »
Passé-Présent-Avenir-Liberté.

Le présent :

A mon avis, le présent est le germe du passé, puisqu'il s'y noie immédiatement ; il se situe également à la limite du futur, s'y dirigeant comme une flèche lancée dans l'espace, pouvant être déviée dans son parcours par certains phénomènes imprévus.

Le passé :

La voyance dans le passé se présente sous trois formes particulières, classées chacune, sous des dénominations différentes, pour en faciliter l'étude.
1° Psychopathotactie.
2° Rétrocognition.
3° Voyance du passé sous hypnose.

PASSÉ. LA PSYCHOPATHOTACTIE

Tout d'abord, que signifie, « Psychopathotactie »
Comme je l'ai mentionné dans le quatrième cours de parapsychologie, à l'Académie universelle Ark'All, Psycho-

22

pathotactie, du grec *Psukê* (âme) et *Pathos* (sensation, impression), du latin *Tactus* (sens du toucher), est la définition que j'utilise, pour remplacer « Psychométrie », créée par le docteur américain, J. Rodes Buchanan, pour désigner la faculté de raconter l'histoire d'un objet, à partir de son toucher, ou de celui d'un élément ayant été en contact avec cet objet. Terme qui me semble peu approprié à l'usage que l'on en fait en parapsychologie. « Psychométrie » voulant dire, littéralement, mesure de l'âme.

La psychopathotactie entre donc dans le domaine de l'information paragnostique. Comme je l'ai abondamment expliqué dans mon exposé, lors des conférences pluridisciplinaires, entre les Universités d'Amiens-Tours-Lyon (Université C. Bernard) et Poitiers, qui ont eu lieu, du 17 au 23 mai 1976, à l'Université d'Amiens, l'information paragnostique, consiste à utiliser une méthode intuitive, afin d'obtenir des informations inaccessibles aux voies rationnelles.

Dans ce domaine, les possibilités mises à notre disposition sont considérables, et nous devons les exploiter, dans toute la mesure du possible.

Il est évident que certains individus, paraissent plus doués que d'autres, mais tout être normalement constitué, peut développer ces facultés psychiques.

Il m'a souvent été dit qu'une partie de mes observations psychopathotactiques, pouvait, en certains cas, être le produit de mon imagination, ou me parvenir par un phénomène télépathique, me mettant en rapport avec les pensées, ou connaissances d'autres personnes.

On m'a fait également remarquer qu'il existait une certaine analogie entre quelques-uns de mes récits paragnostiques. Il s'agit là d'une réalité tout à fait naturelle. Par exemple :

Si une personne passionnée d'archéologie visite plusieurs sites elle rapportera surtout, parmi ses souvenirs, des objets et des observations en rapport avec l'archéologie ; le reste passera en second plan. Pour moi, il en est de même dans mes « voyages » dans le passé, cela me semble évident. Comme il y a eu plusieurs civilisations dans le passé, rien d'étonnant à ce que chacune d'entre elles puisse être observée à plusieurs reprises par des « contacts » différents.

Je prie les lecteurs, de bien vouloir m'accorder toute leur indulgence, pour le style de mes récits. La traduction d'une histoire vécue par psychopathotactie n'est pas chose facile. Il est souvent malaisé de juxtaposer certains passages, sans risque de déformer l'authenticité des observations extra-sensorielles.

Comment définir et enseigner la méthode psychopathotactique

La psychopathotactie est un réflexe déclenché par l'action de la pensée et de la volonté. Il n'est ni plus ni moins que celui qui nous est nécessaire pour actionner l'un de nos membres.

Il est possible de réveiller ce réflexe, ce que j'enseigne à mes élèves.

De préférence (mais cela n'est pas absolument nécessaire), après s'être lavé soigneusement les mains, se mettre dans un état d'attente en se relaxant, en faisant abstraction de toutes pensées, sauf celle formulant le souhait d'obtenir l'information désirée, au contact de l'objet. Ne pas oublier que la foi qui, je le rappelle, est la croyance que l'on a en quelqu'un ou en quelque chose (en l'occurrence, la réalité de la psycho-pathotactie) doit être absolue.

Regardez ensuite l'objet dont vous désirez connaître l'histoire, serrez-le dans vos mains (ou dans l'une de vos mains, selon le volume de l'objet) puis remettez-vous dans un état d'attente passif. Si le phénomène ne se produit pas, appuyez l'objet sur votre front.

Le toucher n'est pas toujours nécessaire pour recevoir des informations paragnostiques ; parfois, seul le regard suffit. Dans ce cas, le terme « psychopathotactie » devient déri-soire ; il s'agit alors d'un phénomène de « rétrocognition ».

Lorsque vous entrez dans la phase de réceptivité, vous constatez que votre psychisme a subi instantanément une transformation. Vous n'êtes plus tout à fait le (ou la) même, vous éprouvez en vous une sensation de légèreté, semblable à

24

celle que vous ressentiriez en état de dédoublement, vous vous sentirez libéré du poids de votre corps physique et vous aurez toujours l'impression, ce qui sera d'ailleurs réel, d'être en même temps dans un état ordinaire. Vous vous apercevrez cependant, que vous avez perdu une sorte « d'alourdissement » de votre propre personnalité. Cependant vous ne perdrez pas conscience de la réalité, et vous verrez apparaître les scènes vécues par l'objet, ou celles des personnes ayant été en contact avec l'objet.

La psychopathotactie peut être visuelle, ou auditive, souvent même les deux à la fois. Dans ce dernier cas, elle réunit les meilleures conditions pour recevoir un maximum d'informations.

Il vous arrivera d'entendre parler des gens dans des langues qui vous seront inconnues, mais dont le sens vous sera accessible. Vous observerez les choses, comme si vous les voyiez vraiment. Vous regarderez même parfois avec « les yeux » d'une personne vivant à l'époque dans laquelle vous serez transporté.

Au début, mieux vaut essayer de faire une étude en continuité car, si vous vous interrompez, il n'est pas sûr que vous vous retrouviez dans le même « temps ». La deuxième prise de contact avec l'événement pourrait alors vous amener chronologiquement avant ou après la première observation.

Après avoir atteint l'état de réceptivité, laissez-vous aller ; les scènes les plus impressionnantes se dérouleront alors devant vos yeux. Notez-les pour « replonger » ensuite, si vous le désirez, dans l'époque choisie, afin d'en savoir davantage.

La psychopathotactie peut être pratiquée seul, mais si vous opérez en présence d'une ou de plusieurs personnes, celles-ci peuvent alors vous questionner sur certains détails que vous n'auriez peut-être pas remarqué. Il s'établit alors un dialogue entre elles et vous dans le passé.

Evitez au maximum d'expérimenter devant des gens incrédules, car les effluves du scepticisme font barrage à la perception paragnostique. Vous ne devez pas non plus expérimenter en état de fatigue.

Quand vous aurez réalisé vos premières expériences, pensez aux paroles dites par Jésus, dans l'Evangile selon Thomas, — qui fut découvert vers 1945, en Haute-Egypte, près de la localité de Nag-Hammadi — dans la logia-2 (Edition Métanoia 1974.) :

1 ; Jésus a dit :
2 ; Celui qui cherche ne doit pas cesser de chercher,
3 ; jusqu'à ce qu'il trouve,
4 ; et, quand il trouvera,
5 ; il sera stupéfié,
6 ; et, étant stupéfié,
7 ; il sera émerveillé,
8 ; et il régnera sur le tout.

Le mécanisme de l'information psychopathotactique, demeure scientifiquement inexpliqué. Certains chercheurs attribuent aux objets une « mémoire » qui enregistrerait les événements dont ils auraient été témoin.

Mes observations semblent contredire cette hypothèse. En effet, par exemple :

A partir d'un fragment de pierre ayant été détaché d'un monument, il m'a été facile d'en « revivre » l'histoire ayant été perçue par le monument, en utilisant la psychopathotactie ; mais, en plus, j'ai pu continuer à obtenir d'autres informations relatives à ce monument à partir du même fragment de pierre, qui, alors, n'était plus présent, au moment où s'étaient produits de nouveaux événements. Il n'avait donc pas « enregistré ». Il me semble plutôt que ce fragment de pierre permit de créer un « pont » télépathique et de clairvoyance entre le monument et moi.

26

Conférence du 19 mai 1976
à l'Université d'Amiens

EXPOSÉ de RAYMOND RÉANT : EXTRACTION PARAGNOSTIQUE DE L'INFORMATION. (E.P.I.)

L'extraction paragnostique de l'information consiste à utiliser une méthode d'approche intuitive, et non rationnelle, pour accéder à la connaissance du monde extérieur, parallèlement à la méthode « objective » bien connue de la science classique et de la logique ordinaire. (Définition donnée par le Dr William Wolkowski.)

Les possibilités mises à notre disposition sont considérables et nous devons les exploiter, dans toute la mesure du possible. Il est évident que certains individus paraissent plus doués que d'autres. Tout être, normalement constitué, peut développer ses facultés musicales. Il y a de bons et de mauvais musiciens. Il en est de même des facultés paranormales.

Naturellement, comme pour la musique, cela demande, suivant l'aptitude de chaque individu, de plus ou moins longues années de persévérance. Cependant, quand le sujet a atteint son but, la récompense est grande.

En ce qui me concerne, je suis assez satisfait de mes résultats. Pour donner une idée des possibilités que j'ai ainsi obtenues, en opérant dans de bonnes conditions, nécessaires à cet effet, voici les facultés acquises :

1. Retrouver des personnes disparues.

2. Décrire les déplacements, décors, faits et gestes de personnes éloignées durant plusieurs semaines.

3. Apparaître à distance à des sujets qui ne me connaissent pas au préalable. (Pour éviter la possibilité de suggestion.)

4. Revivre des scènes du passé, ou un événement, par projection télépathique d'un sujet.

5. Revivre des scènes du passé, au contact d'un objet, (Psychopathotactie.)

6. Lire dans des enveloppes fermées.

7. Suggérer et faire revenir des animaux, même après six mois d'absence.

8. M'incorporer au sein de la matière et en décrire la composition générale, moléculaire, atomique et sub-atomique.

9. Déchiffrer des écrits dans des langues étrangères qui me sont inconnues, contenus dans des enveloppes fermées.

10. Pratiquer des exorcismes et des désenvoûtements.

11. Guérir des animaux.

12. Prévoir l'avenir, suivant les lois du Docteur Eugène Osty.

Et bien d'autres choses encore...

Sur le plan scientifique, l'extraction paragnostique de l'information est principalement utilisée en archéologie.

Le 28 octobre 1975, le professeur américain E... de passage à Paris avec un collaborateur sensitif, le professeur V... a organisé une rencontre à mon domicile. Ils arrivèrent chez moi le 28 octobre à 20 h 30. Ce soir-là, un léger brouillard enveloppait la région. Lorsqu'ils frappèrent à ma porte, j'étais en train d'effectuer une recherche de personne disparue, que je localisais dans une ville située au nord de l'Espagne. J'interrompis mon étude pour les recevoir. J'ouvris la porte, et le premier personnage qui se présenta à moi fut le coéquipier (clairvoyant) du professeur américain, suivi de ce dernier accompagné du professeur V... Leurs visages étaient souriants et reflétaient la sympathie. Les présentations furent faites dans une ambiance très amicale.

Le professeur américain et son ami clairvoyant revenaient d'un voyage d'étude au Proche-Orient.

Sortant d'un sac en papier trois petits fragments de terre cuite, le professeur américain me demanda si je pouvais localiser leur provenance. Je pris alors l'Atlas général Bordas, et l'ouvris pour mettre en évidence la carte du Proche-Orient et, à l'aide d'un pendule Legall, d'une règle graduée et d'une petite flèche en plastique rouge, je me mis au travail. Je stabilisai la règle graduée sur une ligne formée par l'espace compris entre Pahlavi et Bender Chahpur, et plaçai la flèche rouge entre Bender Chahpur et Agha-Jari. Le professeur américain et son ami clairvoyant eurent un petit sourire satisfait. La ligne qu'indiquait la règle était exacte, mais la flèche se trouvait légèrement plus au sud du lieu où avaient été ramassés les morceaux de terre cuite.

Le professeur V... me demanda de faire une psychopathotactie pour donner un complément d'information. La description obtenue fut la suivante :

« Je vois une sorte de clairière verdoyante, parsemée de buissons, d'arbustes, et, près de là, des montagnes rocheuses dépourvues de végétation. Il y a des hommes lourdement vêtus, ils portent un turban très large qui couvre la nuque... J'y vois également des chameaux et des mulets, sur lesquels sont chargés des sacs... Il y a aussi des moutons colorés de noir, marron et blanc... Des chiens... des hyènes... un cours d'eau passe près de là.

Les poteries correspondant aux contacts n'ont pas été fabriquées en ce lieu. »

Le professeur américain confirma l'exactitude de cette psychopathotactie. Pour la situation radiesthésique, il était évident, d'après lui, que les poteries correspondant aux fragments de terre cuite pouvaient avoir séjourné en cet endroit, étant donné qu'elles étaient présumées avoir appartenu à des nomades.

Le Clairvoyant canadien engagea ensuite une courte discussion à laquelle je répondis en français. Le professeur V... me fit cette remarque : « Vous avez compris ce qu'il dit ? » « Pourquoi ? » lui répondis-je, il ne parlait pas le français ? — « Non », répliqua le professeur V...

Nous avions, le clairvoyant canadien et moi, entretenu une petite conversation, chacun dans notre langue natale, sans nous en être aperçu, bien qu'il ne parlât pas français, ni moi anglais. Ce qui confirme une fois de plus, l'expérience faite en télépathie, avec un jeune ingénieur suisse, qui avait, au cours d'une expérimentation, à laquelle j'avais eu l'honneur de participer, envoyé un message en allemand, et que plusieurs télépathes et moi-même avions perçu en français.

Je passe sous silence la suite de cette rencontre, qui doit rester confidentielle, mais je peux ajouter, qu'une étude archéologique intuitive faite sur le terrain avec l'ami clairvoyant du professeur américain, correspondait avec exactitude à celle que j'avais faite moi-même avant cette rencontre, on peut donc exclure le contact télépathique pour donner un sens à ce phénomène, mais cela demeure extrêmement curieux.

Si l'on en croit certaines Psychopathotacties, la civilisation atlante utilisait de petits cubes en cristal d'environ un centimètre cube, pour enregistrer le son et l'image, pour transmettre des informations qui étaient ensuite décryptées par psychopathotactie... cela laisse rêveur.

RÉSULTAT DE PSYCHOPATHOTACTIE FILMÉE EN DIRECT PAR LE RÉALISATEUR ALAIN NEUMAN, SUR LES PHÉNOMÈNES PARANORMAUX

En mars 1977, le réalisateur Alain Neuman se préparait à tourner un film sur les phénomènes paranormaux et sur la parapsychologie. Il avait prévu, dans son scénario, une séquence sur la psychopathotactie, cette faculté qu'ont certains clairvoyants de connaître l'histoire d'un objet et des personnes qui l'ont touché, en le tenant simplement entre les mains. Arrivé en France, Alain Neuman s'est renseigné sur les médiums qui possédaient ce « don » et, après une courte enquête, décida de faire l'expérience avec Raymond Réant.

Raymond Réant accepta aussitôt et, pour prouver sa bonne foi, il proposa au réalisateur de faire pour la première fois cette expérience de psychopathotactie avec des objets archéologiques uniquement connus de spécialistes et qui ont derrière eux une longue histoire. Raymond Réant demanda au professeur François Saison de bien vouloir participer à l'expérience. Le jour du tournage, le professeur François Saison apporta plusieurs pièces archéologiques. Le temps pour le réalisateur de préparer les éclairages, de charger les caméras, de mettre en route le moteur, et l'expérience allait pouvoir commencer. Plusieurs séquences ont ainsi été filmées. Nous présentons ici quatre d'entre elles. Il faut rappeler, car cela est très important, que ces séquences ont été enregistrées en direct par Alain Neuman. Le texte de cet article est la reproduction de la bande sonore des séquences enregistrées par le réalisateur.

La première pièce que le professeur François Saison déposa sur la table, au grand étonnement de Raymond Réant et d'Alain Neuman, était un petit tube de verre renfermant un peu de poudre noire, fermé par un bouchon de liège. Raymond Réant regarda François Saison et l'ombre d'un sourire passa sur son visage. Il prit le tube, le regarda quelques instants, fixement, le faisant rouler sous ses doigts, puis il s'absorba en lui-même et commença à parler :

« Dans une grande salle, semblable à un musée, je vois une multitude de roches, petites et grosses... des minéraux, cela doit se trouver dans Paris. Il s'agit d'une collection visitée par des élèves qui se passent les tubes dans les mains, habillés de façon un peu vieillotte...

« Je me sens enfermé... j'ai l'impression de prendre place dans le contenu du tube, il s'agit de fibres végétales... Je vois un animal... pas encore très distinctement... Il ressemble à un chien avec des oreilles très pointues... Sa morphologie se situe entre celle d'un chien et celle d'un renard, avec une queue très gonflée. C'est un objet en bois de teinte un peu brune... L'animal est allongé, les pattes en avant... Il y a une momie en dessous... Je suis dans un cercueil, l'objet a à peu près vingt centimètres de long... Je ressens maintenant une forte chaleur... du feu... quelque chose qui brûle, mais plus tard, le « chien » n'est plus dans le cercueil, il s'agit d'un incendie pas tellement ancien, dans un paysage africain (Egypte). L'objet a brûlé, mais dans un autre incendie, cela a fait fondre le vernis et brûler l'objet en surface. L'objet a ensuite été cassé... je ne vois plus la queue de l'animal, elle a été cassée à la suite d'un choc...

31

L'objet a été gratté, il s'agit de l'animal en bois... Il se présente avec la tête droite, un peu comme le Sphinx. »

Comme s'il venait d'émerger d'un rêve, le regard encore songeur, Raymond Réant s'arrêta de parler, il releva la tête et regarda François Saison fixement. Et s'il s'était trompé ? Si tout ce qu'il venait de dire, et qu'il avait entendu comme de loin, était faux ? L'expérience allait être complètement ratée. Mais le Professeur François Saison avait déjà pris en main le papier sur lequel étaient écrit les renseignements qu'il avait pu obtenir sur la poudre contenue dans cette éprouvette. Voici ce qu'il lut à haute voix devant le micro du preneur de son :

« Le tube de verre provient de l'Ecole Impériale des mines (actuellement Ecole Nationale Supérieure des Mines de Paris) ; il a servi, sous le second Empire, aux travaux pratiques de minéralogie des élèves de l'école.

A l'intérieur de ce tube a été versée un peu de poudre noire, prélevée le matin même de l'expérience par grattage sur une statuette égyptienne de la XVIIIe dynastie. Cette statuette en bois brun, d'une longueur de 19,6 centimètres représente un chacal (le dieu Anubis) allongé les pattes en avant, la tête droite, dans la position du Sphinx. En de nombreux endroits subsistent des traces d'un revêtement de vernis qui, visiblement, a été brûlé. Dans son état actuel, l'animal a l'oreille droite et la queue cassée.

J'ignore où il a été découvert (très vraisemblablement dans un tombeau) ; il m'a été remis au Caire par une personne qui habite en face de l'Opéra, détruit il y a quelques années par un violent incendie. »

La première expérience était réussie. Raymond Réant avait exactement décrit l'animal d'où avait été prélevée la poudre noire. Il reprenait confiance en lui.

Les autres expériences allaient se dérouler pour lui dans un climat plus détendu. Le professeur François Saison sortit alors le deuxième objet qu'il avait choisi pour cette expérience. Il s'agissait d'un petit morceau de terre cuite qui avait la forme curieuse d'un champignon.

Cette fois encore, Raymond Réant eut un sourire. Décidément on ne lui facilitait pas la tâche ! A nouveau, il lui fallait remonter l'histoire à partir d'un petit morceau de terre cuite prélevée d'un objet. Mais puisque il avait accepté cette expérience, il fallait la continuer jusqu'au bout.

A nouveau il prit l'objet entre ses doigts et commença à parler :

« Il s'agit là d'un fragment de vase construit environ 550 ans avant J.-C., d'origine égyptienne, qui contenait un liquide opaque et violacé. Ce liquide était constitué d'extraits de plantes qui adoucissaient la peau.

Le moulage a été effectué en trois parties ; le goulot, et les deux côtés du corps du vase... Puis les trois éléments ont été assemblés avant la cuisson. »

Puis à nouveau Raymond Réant s'interrompit et dessina, en le reconstituant, le vase tel qu'il était à son origine, et interrogea du regard le professeur François Saison. Celui-ci lui répondit par un sourire et, sans attendre, il lut à haute voix devant le micro :

« Ce fragment de poterie verdâtre provient lui aussi d'Egypte, mais d'une dynastie de la Basse Epoque ; la XXVIe dynastie (Saïte).

Il s'agit de la tête d'un flacon à parfum, dont le type est décrit dans *L'archéologie Egyptienne* de Gaston Maspéro, paru en 1887 (pages 255 et 256).

Les ampoules lenticulaires, à vernis verdâtre, garnies de rangs de perles ou d'oves sur la tranche, de colliers sur la panse, appartiennent toutes, ou peu s'en faut, au règne d'Apriès et d'Amasis (Fig. 229). »

Or Apriès a régné de 570 à 526 avant Jésus-Christ... (Voir la figure correctement reproduite par R. Réant.)

L'expérience avait à nouveau réussi : Raymond Réant avait réussi à situer l'époque à laquelle remontait l'objet. Il avait même réussi à définir son usage. C'est au cours de l'expérience suivante que ses « visions » ont été les plus étonnantes.

Cette fois-ci en effet, François Saison sortit de sous la table une petite statuette de bronze, d'une quinzaine de centimètres

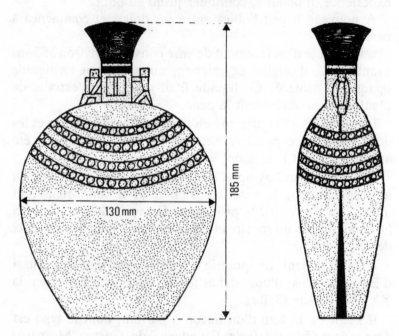

Vase construit environ 550 ans av. J.-C.

de hauteur. Lorsque Raymond Réant la prit dans les mains il sentit l'inspiration monter.

« Un paysage chaud et vallonné se présente à moi... Des paysans vêtus très pauvrement travaillent à l'édification d'une construction... Des hommes armés, semblables à des Romains, dirigent les travaux... oui, ce sont des Romains... Je vois un artisan prendre une statuette et en faire une empreinte dans une sorte de ciment, d'abord la face, et ensuite le dos. Dans cet atelier figure une quantité assez importante de statuettes très diverses.

Les empreintes en question sont ensuite juxtaposées pour constituer un moule... L'artisan imbibe ce moule avec une sorte de liquide visqueux, puis exécute un premier moulage, mais le moule ne donne pas une forme parfaite, il est retravaillé pour obtenir une forme définitive. Plusieurs statuettes sont créées à partir de ce moule. Pour la coulée, le moule est présenté à l'envers, c'est-à-dire la tête en bas. Le socle situé vers le haut sert d'embouchure à la coulée. Après le démoulage, le socle est travaillé afin de donner une surface plane, nécessaire pour l'équilibre de la statuette. L'ébarbage du corps de l'objet est effectué à l'aide d'un burin...

« Des envahisseurs arrivent à cheval, tête nue et très peu vêtus, armés principalement de lances... Une bataille s'engage entre eux et les Romains... Les Romains finissent par se retirer lentement, emportant avec eux le plus d'objets possible. Certains soldats romains, trop chargés pour se défendre, se débarrassent d'une partie des objets qu'ils ont emportés avec eux en les jetant à la volée le long de la route, c'est-à-dire, de la voie, car il s'agit d'une voie romaine. La statuette qui fait l'objet de cette présente expérience se trouve parmi eux avec d'autres objets, des bijoux, ainsi que quelques pièces de monnaie sans valeur appréciable, et quelques-unes en or ; du moins je pense qu'il s'agit de pièces en or, à cause de la teinte très jaune... J'en vois une dizaine environ...

Je vois à présent des marécages, des soldats français ouvrent le feu sur des civils armés, embusqués de-ci, de-là... je vois, à travers les yeux d'un officier français qui dirige les opérations... Un enfant tout nu, sortant de je ne sais où, parmi les végétations des marais, le pauvre enfant hurle d'épouvante... Il fait très chaud et humide, je me sens mal à l'aise... De nombreux blessés sont acheminés dans une construction faisant office d'hôpital. L'officier que « j'incarne » y rencontre une femme européenne qui parle le français, parmi les soignantes. Je ressens, suivant les impressions de l'officier, que cette infirmière lui est très sympathique. Elle est âgée d'une trentaine d'années et est très attrayante, de taille moyenne, allure sportive, très décidée, cheveux châtain foncé, presque noirs.

Je ressens en elle un courage et un dévouement démesurés,

ce qui fait mon admiration. Je vois à présent l'officier français vêtu en civil, puis la voie romaine dont je parlais tout à l'heure... Je le vois ramasser la statuette et également quelques pièces de monnaie... Le militaire en question souffre du foie... Je le vois se promener devant un fleuve ou une rivière ?... je crois reconnaître Paris... Oui, je vois l'île de la Cité... Je vois un enfant de quatre ans trouver la mort à ses côtés... Je le vois manipuler des livres dans un petit coffre sur la voie publique... »

Raymond Réant avait parlé très longtemps. Il semblait fatigué. Il restait cependant à savoir si, cette fois encore, il avait vu juste. Le professeur François Saison prit ses notes et lut à haute voix :

« Cette statuette de bronze, remarquablement conservée, (ce qui ne facilite pas la détermination de son origine) est romaine. Elle a été trouvée dans des vignes, dans la région de Montpellier, près d'une voie romaine, en même temps que deux petites pièces d'or qui ont permis de la dater, par la personne qui me l'a remise.

L'homme en question est un ancien officier de la guerre d'Indochine, qui a terminé avec le grade de commandant. Sa propre fille est morte à ses côtés dans un accident d'automobile, à l'âge de quatre ans. Il est actuellement bouquiniste à Paris quai de Gesvres, en face de l'île de la Cité, et il souffre du foie. »

La dernière expérience, pour ce film que fit Raymond Réant, fut la plus étonnante, car cette fois-ci, ainsi que le Professeur François Saison devait nous l'apprendre ensuite, il ne connaissait pas du tout l'histoire et la signification de l'objet qu'il déposa sur la table. Il l'avait apporté à tout hasard, pensant que Raymond Réant pourrait peut-être l'aider à les trouver.

Il s'agissait d'une pierre ronde, de couleur sombre, qui oscilla quelques instants sur la table. Raymond Réant la prit dans ses mains, la roula entre ses doigts puis il se mit à parler :

« Il s'agit d'un galet contenant un coquillage, une ammonite évidée, utilisée par des Indiens, pour un usage religieux...

J'entends une voix qui dit « Salagraman », à l'instant même où un prêtre loge dans la cavité du coquillage enveloppé par le galet... un tout petit document portant des inscriptions... ? Je vois un grand fleuve... en m'élevant très haut, je le reconnais comme étant le Gange, dans la découpe du territoire indien. »

Résultat donné par le Professeur François Saison :

« Contrairement aux expériences précédentes, j'ignorais absolument tout de cet objet, sauf son origine indienne. Après bien des recherches, à la suite du mot donné par M. Raymond Réant, j'ai eu la joie de découvrir, à la page 323 du *Dictionnaire des religions,* de l'Abbé Bertrand, édité en 1851 (tome 27 de l'*Encyclopédie théologique* de l'Abbé Migne), l'article suivant :

« Salagrama : petite pierre extrêmement vénérée dans l'Inde ; les Brahmanes la regardent comme une métamorphose de Vichnou (...). C'est une sorte de coquille pétrifiée dans le genre des ammonites. On les trouve dans la rivière Cassai, un des affluents du Gange. Ces pierres sont cependant assez rares : les Brahmanes, après l'avoir lavée, la portent sur l'autel et la parfument, pendant que les assistants lui font leurs adorations ; ensuite ils leur distribuent un peu de l'eau qui l'a touchée. Il n'est rien de plus efficace pour obtenir la rémission de tous ses péchés, quelque énormes qu'ils soient, que d'avoir de l'eau dans laquelle on a lavé un Salagrama. »

Il faut pourtant remarquer que, malgré tout, l'article ne précise pas si les prêtres y logeaient des documents portant des inscriptions. (Le scripteur le savait-il ?)

Ainsi s'achevait cette expérience. Pour ceux qui y ont assisté, elle était également concluante. Ceux qui le désirent pourront voir cette séquence filmée en direct, lorsque le film sera diffusé en France.

Expérience de psychopathotactie également relatée dans le N° 11 de la revue *PSI Réalité* de novembre 1978.

RAYMOND RÉANT FAIT APPEL A LA MÉMOIRE DES OBJETS

Tout d'abord, *Psi Réalité* prend contact avec le Professeur François Saison, lui demandant de choisir quelques objets anciens dont il connaît assez bien l'origine, le lieu de découverte, les propriétaires différents, un détail original en rapport avec l'objet, etc.

Nous ne savons pas quel va être le choix de François Saison. Nous ne le saurons qu'au dernier moment, lorsqu'il présentera les objets à Raymond Réant après les avoir sortis de leur emballage. Dans une enveloppe fermée sont inscrites leurs caractéristiques historiques connues. Cinq de ceux-ci vont être soumis aux talents exploratoires de Raymond Réant. Nous les posons chacun sur une feuille blanche numérotée. Raymond Réant s'assied aux côtés de François Saison. Il est très calme et ne donne pas l'impression d'une concentration particulière. Peut-être un faible « décalage » psychique, un peu comme une légère euphorie est perceptible tout au plus. Laissons donc la place maintenant à l'expérience proprement dite.

Le regard du sensitif enveloppe cette « collection » étalée sur la table par le professeur François Saison. Il choisit un objet. Il le tripote, le pétrit, cherchant en quelque sorte à s'en imprégner.

Nous avons été surpris de la rapidité avec laquelle Raymond Réant « lit » dans son passé : une quinzaine de minutes environ lui suffisent pour commencer à décrire les scènes « vues » par celui-ci.

Raymond Réant, d'une voix calme, explique :

« Je vois une acropole... Un endroit où il y a des sarcophages. Cela a servi à faire des pâtes... des maquillages... oui, c'est ça, des fards... Je vois des couleurs très différentes, des rouges, des bleus... Je situe : 1390 avant Jésus-Christ... Un nom m'apparaît : Soti, Sati, Seti... Oui, c'est cela : Seti... Ce pot a appartenu à des sujets du pharaon... Je vois des cérémonies... Des serpents que des serviteurs du pharaon laissent courir par terre... des vipères sans doute, car ils sont assez courts... Les gens ne bougent pas... Il y en a trois... C'est une sorte de jugement... on laisse courir les vipères vers une personne qui est jugée... si elle se fait piquer, c'est que sa culpabilité est réelle et que les Dieux l'ont ainsi voulu... Chaque femme possédait son pot à fard. Elle faisait son mélange juste avant de l'utiliser... Je vois un cours d'eau qui a été asséché... Je vois des Egyptiens mais je ne peux situer le lieu...

Ce pot a été trouvé et conservé chez une vieille dame qui vous l'a donné (à François Saison). Je vois un chat à côté de cette dame, ainsi qu'un lapin... Ce pot a été enterré à l'époque avec la femme qui l'utilisait. C'était une sorte de prêtresse, une assistante en quelque sorte de ces cérémonies... Le nom de Seti que j'ai prononcé tout à l'heure se situe vers 1410 avant Jésus-Christ, mais c'est très difficile d'être précis... Je vois maintenant Mme Lebeau... Mme Lepot ou plutôt la Mère Lepot... Oui, c'est cela, la Mère Le Pot... »

François Saison, sidéré, confirme l'étonnante psychopatho-tactie de Raymond Réant :

« Ceci est tout à fait troublant. Seti est le prénom du fils de la vieille dame anglaise qui possédait ce pot avant de me le donner. A propos de « Mère Le Pot », l'endroit où a été trouvé cet objet s'appelle en arabe « Oum-el Qaab » (ce qui signifie « Mère au Pot », endroit où l'on a trouvé beaucoup de pots !...)

Seti Ier (même nom que celui donné à son fils par la dame anglaise précitée), pharaon de la XVIIIe dynastie. Cette Anglaise d'une soixantaine d'années vit seule avec un chat et trois lapins. Cette femme a longuement séjourné en Egypte et elle est très connue des indigènes de la région du Temple d'Abydos. Il s'agit bien d'un pot à fards égyptien. »

Quelques jours plus tard, le courrier suivant parvenait au rédacteur de la revue : Voici ce que cite le journaliste :

Dernière Minute :

Un courrier du professeur François Saison nous précise les dates concernant le pharaon Seti Ier et son règne : 1312-1298. Le pharaon est donc de la XIXe dynastie et non de la XVIIIe comme le pensait François Saison au moment de l'expérience de Raymond Réant. Les dates proposées par Raymond Réant étaient plus proches donc de la XIXe dynastie que de la XVIIIe. Ceci serait un élément en faveur d'une non-relation télépathique sujet-expérimentateur.

Résultat d'expérience

Copie du rapport de M. Raymond Réant d'une psychopathotactie exécutée sur un galet gravé, de la collection personnelle de M. Francis Mazière (fait partie des pierres du Docteur Cabrera d'Ica au Pérou).

Le premier contact avec le galet, fait apparaître une femme faisant des inscriptions mystérieuses, au-dessus de l'œil de l'animal, figurant sur cette pierre. Cet animal représente un dragon crachant une substance semi-matérielle ; il a été tracé en souvenir d'un monstre tué après bien des difficultés, sur le bord d'une plage, par des militaires (type inca), équipés de lances et d'épées. Des hommes de peau brune, entièrement nus, descendirent des rochers pour voir le monstre agonisant. Les soldats précipitèrent l'un des curieux sur l'animal. Dans des cris déchirants, l'homme subit le « rayonnement » de l'animal, se recroquevilla sur lui-même. La mort se produisit en quelques secondes.

Ce monstre mesurait environ cinq mètres de long, était de teinte gris-vert, sauf le ventre, qui était d'un blanc jaunâtre...

Je suis maintenant sur un plateau, situé à haute altitude... Il fait un vent violent... je marche le long d'une piste légèrement creuse, bordée par un talus de sable et de pierre... La région est désertique... Au loin je vois une sorte de volcan éteint et de grandes montagnes. De l'autre côté, très loin, je vois la mer, le site est semblable à celui des pistes de Nazca, car cette pierre (ce contact) m'attire ailleurs... (Il s'agit du contact d'une personne ayant touché cette pierre il y a fort long-temps.) Je vois deux hommes et une femme de teinte brune, mettre une embarcation à la mer... Les eaux sont cependant très agitées. Leur pirogue est équipée d'un flotteur, pour résister aux vagues.

Me voici avec des esclaves de peau brune... des soldats au regard sévère proférant des injures, ordonnent à mes amis de tirer des embarcations qui sont sur l'eau, pour les placer sur le rivage... le travail s'effectue à l'aide de cordes, sous des coups de fouets. Non loin de là, un animal ressemblant à un chien et à une panthère noire, dont les yeux sont très espacés, guette les hommes qui se trouvent sur la plage... Les soldats ordonnent ensuite à mes amis de se mettre à plat ventre sur le sol. Etant dans cette position, une partie des soldats quittent les lieux et vont visiter les villages du voisinage, pillent les misérables demeures, massacrent une partie des habitants, les plus faibles. Les hommes, femmes et enfants solidement constitués, sont ensuite embarqués, et en cours de voyage, des hommes et des femmes sont encore massacrés et jetés à la mer... Les soldats se délectent de les voir, après un certain temps, se noyer en appelant désespérément. Mes amis sont maintenant débarqués sur un autre rivage. Ils subissent aussitôt, à tour de rôle, une magistrale correction afin de les humilier devant les curieux d'une autre race, qui accourent pour regarder ce spectacle. Ils sont ensuite utilisés pour diverses besognes.

Le paysage est montagneux, je visite un peu la région...

Voici qu'arrivent des peaux-rouges, ils sont à cheval... D'autres arrivent par voie d'eau, dans des pirogues, je les observe du haut de la colline... Ils avancent jusqu'à l'entrée d'une grande porte de pierre, gardée à gauche (côté intérieur) par un singe de forte taille, et à droite par une panthère.

Le chef des peaux-rouges descend de cheval, la porte précède une pyramide. Des hommes armés de lances et d'épées, semblables à ceux déjà cités, mais d'aspect très calme, descendent les marches de la pyramide... le chef se

41

détache du groupe et s'avance vers le peau-rouge... Une discussion s'engage, tandis que les hommes de chaque parti, se serrent derrière leur chef... La discussion est assez violente... Les peaux-rouges repartent... la nuit tombe.

Contact d'une femme ayant touché ce galet :

Une jeune femme parmi mes amis captifs, qui avait tenté de s'enfuir, vient d'être reprise par une patrouille militaire. Elle est acheminée vers la pyramide et enfermée dans une salle obscure pendant quelques heures. Deux gardes viennent, la saisissent par les mains et la conduisent en haut de la grande pyramide où de nombreuses personnalités se sont réunies. Au milieu de la grande terrasse se trouve une sorte de table verdâtre. Le visage de la jeune femme se couvre d'épouvante... Les gardes l'attachent sur cette table... Elle est fixée sur le dos, à l'aide de cordes qui passent dans des anneaux de bronze... Le soleil se lève, le ciel est d'un bleu très pur... Des hommes et des femmes gravissent les étages, pour venir rejoindre les personnalités réunies sur la terrasse la plus élevée. Un homme vêtu d'une longue robe jaune-doré apparaît, suivi de trois femmes qui dansent au son d'instruments à percussions... Elles dansent à présent en se contorsionnant devant la table verdâtre, faisant scintiller leurs boucles d'oreilles en or, constituées de petits cônes incrustés de pierres de couleurs très vives et variées.

Le rythme de la danse s'accélère de plus en plus, et toute la foule de prosterne en s'agenouillant, baissant la tête le plus bas possible.

L'homme en robe jaune lève alors les bras vers le ciel, la foule se relève... les instruments de musique se remettent en action... Les trois jeunes femmes se relèvent et se placent derrière l'homme en robe jaune qui, après s'être recueilli, et avoir récité quelques oraisons magiques, pousse un cri strident... Une esclave présente à cet homme un glaive qui semble être en or massif, placé sur un coussinet rouge. L'homme prend le glaive de la main droite puis, tendant le bras, le dirige, en marquant un temps d'arrêt, aux quatre points cardinaux, et repose l'arme sur le coussinet, toujours soutenu par l'esclave. Deux autres esclaves allument un feu dans une gigantesque coupe, taillée d'une pièce dans de la pierre. L'homme reprend le glaive, se retourne, le présentant à la foule. Dans un silence presque total, d'un geste symbolique, il plonge la lame du glaive dans les flammes, puis se plaçant près de la femme attachée sur la table verdâtre il lève l'arme le plus haut possible au-dessus d'elle. Un silence impressionnant marque la phase de cette opération. L'homme en jaune, fixant dans les yeux la pauvre condamnée, descend lentement et progressivement le glaive, qui transperce le cœur de la malheureuse...

Tandis que le sang coule dans la forme incurvée de la table de bronze verdie, l'homme formule des prières... La malheureuse jeune femme rend à présent son dernier soupir. Le sang est récupéré dans une coupe d'or... Deux des trois femmes qui assistent, saisissent la coupe de sang, et en versent une partie sur la tête de la troisième femme qui s'agenouille devant l'homme, toujours en prières. Lorsque le visage et la robe de la troisième femme se trouvent couverts de sang, elle se redresse et titube, entre en état convulsif. De ses mains, elle semble repousser quelque chose d'invisible... puis elle se raidit... Ses yeux se révulsent, elle s'écroule sur le sol. C'est alors que le reste du sang est versé lentement sur le feu, par deux autres femmes. Aussitôt, la femme couverte de sang se relève, ses yeux deviennent fixes... Toute l'assemblée se prosterne devant elle, qui se dirige vers le corps sacrifié. A l'aide du glaive planté dans le corps, elle extirpe le cœur de la victime, et le jette au feu. Ensuite, tendant la main droite vers le soleil levant, et la gauche vers la terre, se met à prophétiser.

J'arrête là cette psychopathotactie, car elle me donne des angoisses.

Le chat
Psychopathotactie exécutée sur un galet gravé de la collection de M. Francis Mazière.

Cette pierre nous transporte dans une époque bien différente de celle obtenue par la psychopathotactie précédente. Si je prends le risque du ridicule en traduisant un résumé de la psychopathotactie effectuée sur cette pierre, c'est que je considère cette traduction à sa juste valeur selon les résultats de mes expériences, et que dans un avenir très proche, les préhistoriens et archéologues classiques éprouveront bien des difficultés pour faire croire au grand public que les anciens de cette terre n'étaient tous que de simples primitifs. Il serait préférable, pour de tels scientifiques, de tenir compte des remarques faites par certains chercheurs et archéologues, dont la vue n'est pas masquée par les principes d'un enseignement qui mérite d'être revu et corrigé. Cela éviterait, je pense, de voir sombrer ces hommes dans un entêtement aveugle et parfois ridicule.

La « Mémoire » de cette pierre fait apparaître un gigantesque raz de marée, dont les vagues démesurément hautes, déferlent sur le sol presque plat et aride... Le phénomène est si grand que les eaux tumultueuses se déploient jusqu'au pied de hautes montagnes, pourtant loin de là... Des monstres de différentes espèces m'apparaissent... Ils hantent le rivage et les montagnes... le ciel est très sombre et la tempête fait rage... un véritable déluge...

Le calme est maintenant revenu, et les eaux se sont retirées très loin... Une dizaine d'hommes ainsi que trois femmes arrivent très péniblement... Trois de ces hommes, vêtus de combinaisons « collantes », tiennent en main un genre de pistolet... Les autres portent des vêtements de ville curieusement semblables aux nôtres. Ce qu'il y a de plus surprenant, c'est de voir les trois femmes habillées avec de longues et somptueuses robes, dans un tel décor.

La petite troupe ramasse des poissons et des crustacés venus s'échouer si loin de la côte... Les gigantesques animaux semblent fuir la présence de ces hommes. Ayant fait leur provision, ces étranges visiteurs restent quelques instants sur place... Les femmes semblent paralysées de frayeur...

De gros nuages noirs apparaissent... Un violent orage

éclate... Les hommes et les femmes quittent les lieux au plus vite, et grimpent le long d'une pente rocheuse, dont le passage est couvert d'éboulis... la marche y est très pénible et la pluie tombe à flot... de véritables petits torrents commencent à dévaler de la montagne, entraînant avec eux de lourdes et volumineuses pierres...

Nos personnages s'abritent dans une caverne... Un grondement inattendu se fait entendre... Un monstre est là... derrière eux... il ressemble à un énorme chat à pattes de saurien... L'un des hommes armés tire dans la direction de l'animal... Une puanteur irrespirable se dégage... L'animal s'est volatilisé ? ? ? Il n'en reste plus rien.

Les trois femmes se précipitent vers la sortie de la caverne, et y restent figées, en regardant les masses d'eau qui descendent de toutes parts, continuellement illuminées par des éclairs créant un bruit infernal... Chacun grelotte dans son coin, les vêtements entièrement mouillés.

Le calme se rétablit, seul un vent assez violent persiste. Le ciel s'éclaircit, et le soleil éclatant réchauffe l'atmosphère.

Les « ramasseurs de poissons » sortent de la caverne et montent le long d'une pente pierreuse lavée par les eaux... Les lieux sont désertiques... Ils continuent leur ascension, arrivent sur un plateau, sur lequel se trouve, à ma grande surprise, un énorme cylindre à demi-enfoui sous des pierres. Les treize individus s'y introduisent. Il s'agit là du corps d'une énorme fusée, confortablement aménagée. Chacun s'allonge sur une couchette, pour prendre un peu de repos.

Le calme de la relaxation se trouve interrompu par les gémissements de l'un des hommes, qui se tient le ventre à deux mains... L'un des individus, qui semble être un médecin, lui ordonne de se dévêtir... Cela étant fait, il l'examine minutieusement, et lui fait une injection hypodermique... Le malade se détend et semble s'endormir... Sortant d'une trousse en peau un petit instrument tranchant, le « médecin » incise le patient, lui faisant une ouverture de quelques centimètres à la base du ventre, côté droit... Le sujet perd du sang en abondance... Une transfusion en direct est effectuée,

45

grâce au concours de l'une des femmes, qui offre généreusement son sang...

Le temps passe... Les naufragés du ciel (?) semblent être oubliés du reste du monde, et s'organisent petit à petit. Ils font de longs et fatigants voyages à pied pour trouver leur nourriture, et finissent par abandonner leur cylindre, pour vivre un peu en nomades, et se fixent, après quelque temps dans un endroit bien choisi, sur l'un des hauts plateaux du Pérou, d'où l'on aperçoit au loin, en s'élevant, les tracés encore visibles des pistes de Nazca.

La vie devient très vite triste et monotone, les hommes et les femmes se mirent, je ne sais pourquoi, à porter des plumes dans leurs cheveux... Puis, n'ayant plus de vêtements convenables, ils s'habillèrent de façon dérisoire, passant leurs loisirs à graver des souvenirs sur des multitudes de pierres arrondies. (Remarque : souvent les pierres étaient noircies à l'aide d'une sorte de bitume). Celle qui a été l'objet de cette psychopathotactie représente assez clairement la sorte de chat rencontré dans la caverne, pendant les jours du « déluge ».

Des enfants issus de ces individus, continuèrent à graver des souvenirs sur des pierres de formes arrondies... Puis ils quittèrent la région, abandonnant leur « montagne » de souvenirs.

Des tempêtes successives finirent par disperser et ensevelir une bonne partie de cette collection. D'autres souvenirs furent gravés par les descendants, mais en plus petites quantités.

Je termine cette psychopathotactie, qui peut paraître assez fantasque.

ÉTUDE PSYCHOPATHOTACTIQUE EXÉCUTÉE PAR M. RÉANT R.

Copie du rapport du professeur V... chargé du contrôle. (Origine révélée à la fin de l'expérience, qui s'affirma concluante.)

Petite statuette de pierre provenant de la région de

Tiahuanaco en Bolivie, apportée par un ami anglais, d'origine non authentifiée. (Pouvait être un faux.)

La description de M. Raymond Réant comporte des portes en pierre qui lui font justement penser à la porte du soleil à Tiahuanaco. Etant donné que l'origine de la pierre était inconnue de M. Réant, cette précision est significative. La description semble aussi identifier l'objet comme n'étant pas un faux.

La description fait apparaître toute une civilisation technologique avancée, qui ne correspond pas à l'image admise en préhistoire sud-américaine, mais plutôt à la tradition occulte de l'Atlantide.

Extrait de la copie des observations psychopathotactiques données par M. Raymond Réant :

« Des appareils ovales, d'autres en forme d'obus, se posent sur le sol, après y avoir fait tomber une petite quantité de pierres plates... Quelques hommes aux longues oreilles (déjà décrits dans une psychopathotactie relative aux pistes de Nazca) avec une protubérance sur la partie supérieure du crâne, en descendent, puis suivent une multitude d'hommes vêtus de petites jupes vertes, et portant des bracelets aux poignets, ainsi qu'aux chevilles. Une ville est en cours d'édification... De lourds blocs de pierre sont déplacés par quatre hommes, sans efforts, du bout des doigts, en prononçant des paroles inintelligibles. Ces hommes se sont implantés dans cette ville, et dominent les natifs de la région.

Pour se déplacer, les hommes « d'implantation » utilisent de petites fusées, qui ne nécessitent pas la présence de pierre de contact au sol, mais laissent derrière elles comme une projection de feu.

Voici une seconde " mémoire " de cette pierre, qui semble particulièrement récente :

Cette " mémoire " fait apparaître un alignement de menhirs, semblables à ceux de Carnac (France), espacés entre eux, d'environ vingt ou trente mètres, et qui sont curieusement incorporés dans un long mur, en bordure d'une route, dans une région aride...

Plus loin, derrière ce mur, j'aperçois une porte protégée par une grille délabrée... de grandes pierres gisent çà et là. La porte en question semble être la porte du soleil de Tiahuanaco... En m'élevant, j'aperçois plus loin plusieurs portes semblables (environ dix ou douze). Je vois également un grand tumulus surmonté d'un menhir. (Principe que l'on retrouve en Bretagne.) Je vois des vestiges de construction et des statues (type inca)... Il y a aussi d'autres menhirs, dont certains possèdent une sculpture représentant un serpent.

Pas très loin du mur, construit de grosses pierres et de menhirs, se dresse une pierre d'environ cinquante centimètres de large et cinquante centimètres de hauteur, sur laquelle est également sculpté un serpent. »

Observation :

Cette psychopathotactie est un échantillon de quelques-unes des " mémoires " de la statuette, qui peuvent être prolongées considérablement, si un intérêt historique se présentait.

*
* *

Au cours d'un voyage en Bretagne (du 26 au 28 octobre 1974), en compagnie du professeur V..., de ma fille et d'un ami, nous avons visité un très grand nombre de mégalithes.

Les conditions dans lesquelles ont été édifiés certains d'entre eux, ainsi que des dessins gravés faisant penser à des émetteurs « d'ondes » de formes m'ont incité à exécuter une étude psychopathotactique, sur deux de ces mégalithes ; elle a donné des résultats assez aberrants, dont voici les récits.

LA « TABLE DES MARCHANDS »

Suivant le catalogue du musée J. Miln-Z. Le Rouzic (*les Monuments mégalithiques — destination — âges,* 17ᵉ édition), la table des marchands fut recouverte en 1936. Avant sa restauration, elle était constituée d'une table horizontale supportée par trois blocs de pierres verticales. Selon Zacharie Le Rouzic et Marthe et Saint-Just Péquart, dans le livre *Corpus des signes gravés des monuments mégalithiques du Morbihan* (1927), il s'agit des vestiges d'un tumulus circulaire de 36 mètres de diamètre, contenant un dolmen à galerie dont l'entrée est située au sud. Un des supports et la face intérieure de la grande table de la chambre portent des signes gravés. Ce monument aurait été restauré après acquisition de l'Etat en 1883 et 1905 (*Bulletin de la société polymathique du Morbihan*, 1890). Objets découverts :

Une hache en fibrolithe, fragment de hache en diorite-silex, pointe de flèche à pédoncule, fragments de poterie. Catalogue du musée archéologique de Vannes, 1921, vitrine C, n° 350 à 357, page 26).

La psychopathotactie que j'ai effectuée sur ce dolmen, donne les révélations suivantes :

« Je suis à l'intérieur du dolmen... Des hommes vêtus de peaux arrivent... Ils sont trois, et portent un casque muni de deux cornes... Un quatrième personnage entre, il s'agit d'un prêtre vêtu d'une longue robe blanche... Les quatre individus se placent devant la grande pierre ogivale gravée, placée au fond du dolmen... Le prêtre murmure une prière... Deux hommes sortent du dolmen, et reviennent accompagnés d'un jeune enfant. Pendant ce temps, je sors du mégalithe, et me trouve en présence d'une dizaine d'hommes, également vêtus de peaux et coiffés d'un casque à deux cornes, puis trois prêtres et un taureau entravé par de grosses cordes...

L'un des prêtres plonge un poignard en or dans la gorge de l'animal, tandis que les deux autres récupèrent le sang, qui coule en abondance dans des vases en terre cuite... Les hommes vêtus de peaux tentent de maintenir l'animal qui se débat violemment... La saignée achevée, l'animal est décapité... Les trois prêtres entrent ensuite dans le dolmen (tumulus), avec le sang et la tête du taureau... Ma curiosité me pousse à les suivre... Les vases de sang et la tête de taureau sont déposés devant la pierre ogivale... Le jeune enfant est toujours là avec les autres hommes... La prière continue... Cinq minutes environ se passent puis c'est le silence... Le silence complet... Tous les individus fixent la pierre ogivale... Le prêtre officiant fait un signe de la tête, et chacun s'abreuve du sang du taureau... Puis j'assiste maintenant à une prière collective... Environ trente minutes se sont écoulées. Le prêtre officiant fait boire un breuvage à l'enfant... Le liquide est contenu dans un vase en terre cuite, sur lequel sont gravés des signes géométriques... L'enfant entre en convulsion pendant une dizaine de minutes, durant lesquelles des chants et incantations sont exécutés... Tout cela est très lugubre... L'enfant se raidit, puis tous ses muscles se relâchent... L'enfant subit à présent l'infâme sacrifice, identique à celui du taureau... c'est affreux.

La cérémonie terminée, le corps de l'enfant est incinéré dans un autre tumulus réservé à cet effet, et inhumé dans ce même tumulus. Les pratiques de ce genre sont fréquentes. Parfois la victime est inhumée au pied d'un menhir ou d'un dolmen, souvent accompagné d'objets " chargés de forces maléfiques ", dans l'intention de les " décharger ". La tête du taureau est conservée dans le tumulus, comme symbole protecteur.

Comme je le disais précédemment, cette sorte de sacrifice est très fréquent. Parfois l'enfant est remplacé par un adulte, désigné par les prêtres.

La région est très boisée... Des hommes vivent sous des abris constitués de branchages mêlés de terre... Ils sont tous vêtus de peaux d'animaux... En voici un qui sort de son abri... Il pousse un cri, et cinq hommes de son espèce viennent le rejoindre... Ils sont armés de piques, constituées d'une hampe en bois que termine un harpon en pierre, suivant le dessin ci-dessous, de haches en pierre et de silex très coupants. »

Pique.

« Nous avons marché environ pendant une heure, et nous voici face à face avec un sanglier de taille moyenne, qui s'arrête et nous fixe... Nous sommes dans un sentier assez étroit... L'animal hésite quelques instants... Instinctivement, bien que je sois hors du temps, je me jette dans un fourré ; au moment même, le sanglier charge, tandis que les six hommes se dispersent... L'animal s'arrête et semble chercher... Soudain, une pique, lancée avec adresse vient frapper l'animal au visage, ce dernier charge dans un fourré. Il s'y passe quelque chose... Les hommes réapparaissent sur le sentier en traînant l'animal par les pattes arrière... Puis ils enlèvent un harpon de l'œil droit, et, avec plus de difficultés, un second, qui se trouve plongé dans la gueule de l'animal... La pique est enfoncée d'un tiers de sa longueur dans le corps du sanglier... J'ai eu très peur, il est vrai que c'est la première fois que j'assiste à la chasse au sanglier de cette façon. Les hommes lient les pattes de l'animal, afin de le fixer sur une longue et solide branche, pour le transport, puis nous prenons le chemin du retour. Il fait très chaud, et les rayons solaires, qui filtrent entre le feuillage, sont difficilement soutenables du regard à cause du contraste ombrageux de l'épaisse forêt...

Nous arrivons au village... Des femmes et des enfants sortent de leur refuge... Un feu de bois est réanimé. Les enfants sont chargés de fournir le bois mort nécessaire... L'animal est mis à la disposition des femmes qui le dépècent à l'aide de silex tranchant. »

Arrêt de la psychopathotactie

Reprise de la psychopathotactie :

« Je reviens au village, au milieu d'un combat... Des hommes venus d'ailleurs sont là, très nombreux... Ils mettent le feu aux abris, enlèvent les femmes et les enfants, tandis que les défenseurs tombent les uns après les autres, malgré leur remarquable courage dans ce terrible combat. D'autres ennemis arrivent dans de grandes barques... Ils viennent de la mer... Les femmes et les enfants sont emportés par voie d'eau, et débarqués un peu plus au nord des côtes de la Manche, et sont réduits à l'esclavage.

Les conquérants sont visiblement installés depuis peu de temps sur les lieux. Ils procèdent au déboisage. Dans cette région se trouvent des pyramides, une grande et d'autres toutes petites, qui semblent venir du fond des âges...

Des bœufs tirent des charrues très rudimentaires... Bien souvent, les bœufs sont remplacés par des femmes captives... Le travail est fort pénible.

Les envahisseurs utilisent abondamment des armes et des outils en bois de cerfs, des grattoirs en silex taillé, des haches en pierre polie, avec un trou pour contenir le manche... Ils utilisent l'arc, et des flèches, dont les pointes sont en silex.

Les vêtements sont confectionnés avec des peaux de bêtes, dont le poil a été raclé... Je vois en ce moment, une femme en train de coudre des peaux, à l'aide d'une aiguille en os et d'une herbe très solide... Elle s'arrête un instant pour boire ce que je crois être du lait, dans un vase en céramique hémisphérique, décoré de pointillés. »

MENHIR MEN-ER GROACH
(Locmariaquer-Morbihan)

Actuellement couché et brisé. Sur cinq morceaux, quatre restent encore sur place et mesurent, au total, vingt mètres trente, occupant un volume de cent trente-quatre mètres cubes trente. La densité de ce mégalithe étant estimée de 2,59, le poids total des quatre morceaux restant doit être d'environ 348 tonnes.

Rappel historique :

La date et les causes de sa chute demeurent inconnues. La 17ᵉ édition sur *Les monuments mégalithiques, leur destination, leur âge* (page 16, texte de Zacharie Le Rouzic, membre de la commission des monuments historiques, mise à jour par M. Jacq, conservateur du Musée J. Miln-Le Rouzic, à Carnac) signale que M. Robin, président à mortier au parlement de Bretagne, l'a dessiné en 1727, dans sa position actuelle.

La Psychopathotactie exécutée sur ce menhir donne les révélations suivantes :

« Le contact avec le mégalithe me transporte dans une vaste carrière, actuellement recouverte par l'Océan Atlantique, au large des côtes bretonnes.

Dans cette carrière travaillent une centaine d'hommes à la peau brune. Certains sont vêtus uniquement d'une jupe marron clair ou grisâtre. D'autres portent des robes rouge-marron ou bleues, avec des motifs géométriques de couleurs variées, et une ceinture de corde ou de peau. Les traits de leurs visages sont assez rudes. Yeux légèrement bridés, cheveux noirs, nez généralement arqués, narines très ouvertes, lèvres assez charnues, la forme du visage est généralement arrondie.

Ces hommes, sous la directive de plusieurs prêtres de race blanche, vêtus de longues robes blanches ou bleues, travaillent dans cette carrière, où plusieurs mégalithes sont en cours d'extraction.

Je vais décrire uniquement les travaux exécutés, pour la réalisation du Menhir Men-er Groach, de Locmariaquer.

La roche est attaquée à l'aide d'outils en quartz, ne devant subir aucun " empoisonnement " métallique, durant tout le travail, fait par une équipe de douze hommes, de chaque côté d'un tracé exécuté par un prêtre... Les ouvriers rongent la pierre à l'aide de leurs outils (haches, burins de quartz)... Le prêtre trace sans cesse de nouveaux repères, pour guider les travailleurs.

Il est remarquable de constater qu'aucun travailleur ne bavarde; chacun d'entre eux se comporte comme un être isolé. Le travail est ingrat. Nombreux sont les hommes blessés par des éclats de pierre, particulièrement aux yeux. Les blessés qui ne peuvent plus travailler sont parqués dans un coin de la carrière, avant d'être emmenés dans un engin volant, vers une destination inconnue.

Le temps a passé et le monolithe ne tient plus que par une mince paroi qui se soude encore au sol. La rupture est imminente... Les travailleurs placent du sable dans la cavité, en dessous du mégalithe, de façon à ce que l'on ne voie que le mégalithe et la mince paroi qui le retient... Les travailleurs sortent à présent de la fosse... Le prêtre souffle dans un petit instrument qui ne produit aucun son... Le monolithe « frissonne »... La mince paroi se brise, faisant ainsi descendre le futur menhir, sur son lit de sable.

Une sorte de pain d'une vingtaine de centimètres de long, sur environ cinq de diamètre, est donné à chaque homme, ainsi qu'un petit pot d'eau (?)... Je ne sais pas très bien s'il s'agit d'eau, le liquide est incolore.

Il est tard, voici venir le crépuscule... Les travailleurs se recouvrent de sable et entrent dans un profond sommeil. Les prêtres partent dans un engin volant.

Plusieurs heures ont passé, et le soleil point à l'horizon... Tout est calme, la température est fraîche, mais il ne fait pas froid.

Le soleil commence maintenant à chauffer, et les travailleurs ouvrent les yeux, et restent couverts de sable... Aucune communication entre eux, ils ne se parlent pas.

Un engin volant se pose sur le sol... Une douzaine de prêtres en descendent... Puis un second appareil atterrit... Une vingtaine de nouveaux travailleurs en descendent.

Sept prêtres se dirigent vers le mégalithe qui est l'objet de l'étude... Le mégalithe est couché sur une couche de sable... Les prêtres entourent le monument, en gardant entre eux un intervalle régulier, puis ils murmurent des prières, en appliquant chacun un long bâton sur le menhir... Ils prononcent des mots inintelligibles, en plaçant chacun leur index de la main droite sous le mégalithe, puis au-dessus du mégalithe, durant environ une quarantaine de secondes... Ils replacent leur index de la main droite sous le monument, qui se soulève très facilement, sans efforts... Les sept prêtres avancent en déplaçant cette volumineuse masse de pierre, pour la poser sur une plateforme en pierre recouverte de plaques marron-noir.

Quelques heures plus tard, une sorte de fusée, dont le dessous est plat, vient se placer à quelques mètres au-dessus du mégalithe, projette un rayonnement sur ce dernier, qui se soulève, et vient se coller sur la fusée, qui l'emporte sur le lieu actuel, où elle le dépose en position couchée, puis disparaît.

La région a été déboisée, et le trou devant recevoir le mégalithe a été creusé avec des outils manuels (sortes de piolets et pelles).

Sept prêtres sont sur les lieux, ils s'approchent du mégalithe, posent le bout de leurs bâtons sur sa tête, en murmurant des prières... Ensuite ils remplacent leurs bâtons par leur index de la main droite, pendant environ quarante secondes, puis manipulent ce lourd et volumineux monument, comme s'il ne pesait que quelques grammes... Le menhir est présenté, juste au-dessus du trou qui doit le tenir en place ; puis, par des gestes lents, les prêtres le font glisser dans ce trou qui l'enserre comme une gaine. Ensuite, le menhir est orienté, suivant sa forme cristalline, à l'aide d'une boussole. Par la suite, les prêtres coiffent le menhir d'un gros disque de pierre rouge, sur lequel est placé, en son centre, un superbe cristal transparent (incolore), à six facettes, haut d'environ cinquante centimètres et d'environ douze centimètres de large. L'ensemble coiffé par une pyramide à six facettes, en matière incolore.

Le gros cristal de quartz émet des rayons dans toutes les directions.

Un volumineux appareil, d'environ trente mètres de long, de teinte goudronneuse, arrive lentement au-dessus du menhir... à environ trente, ou quarante mètres. Cette volumineuse et sinistre masse, dépourvue de lucarne, reste environ une minute au-dessus du menhir... semble faire sa provision d'énergie, puis s'élève, d'abord verticalement, à la vitesse d'environ un mètre par seconde, puis ensuite obliquement, en allant de plus en plus vite, en direction du nord-est. »

Dessin médiumnique, représentant le bâton ayant été perçu au cours d'une psychopathotactie, relatant la lévitation des mégalithes du Morbihan.

La partie inférieure de ce bâton en bois, dont les caractères sont inscrits en creux sur la face visible de ce dessin, sont reproduits de la même façon sur l'autre côté du bâton.

Pour l'émission de l'énergie, la partie inférieure était dans la main de l'opérateur qui agissait après avoir récité une sorte de prière.

Caractéristiques

Cylindre en bois.
Teinte : noire.
Longueur : 50 cm.
Diamètre : 4 cm.
Caractères : en creux.

Temps passé pour la reproduction médiumnique par psychopathotactie : 6 heures.

Dimanche, le 18/7/1976.

Expérience exécutée par Réant Raymond.

(Relaté dans *Ark'all Communication,* Année 1979, Vol. 5, Fasc. 3, page 106.)

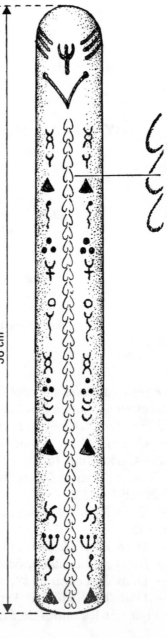

III

VOYAGE AU SEIN DE LA MATIÈRE

> « *Passé un certain degré de profondeur et de dilution, les propriétés les plus familières de nos corps, lumière, couleur, chaleur, imperméabilité... perdent leur sens.* »
> « *Nous pénétrons loin et profond dans la matière.* »
> « *Quels agrandissements apporte dans nos vues sur la matière l'introduction de cette dimension nouvelle.* »
>
> Pierre Teilhard de Chardin.

Le résultat d'une des expériences que je vais citer, dans mes voyages au sein de la matière, a été relaté dans le n° 3, Vol. 9, du *Journal of Paraphysic* 1975.

— Commenté au deuxième congrès de parapsychologie à Monte-Carlo, Juin-Juillet 1975, paru dans l'ouvrage correspondant, à l'Institut Métapsychique International, pages 288-289-290-291 et 292.

— Dans *Hemmets Journal* (Finlande) n° 50, du 11 décembre 1975.

— Dans *Psychologie* n° 74, mars 1977.

— Dans *Marie-Claire*, octobre 1977.

— Dans *l'Inconnu* n° 19, août 1977.

— Dans *Psi Réalité* n° 3, novembre 1977, etc. ;

ainsi que sur les ondes de France-Inter, Radio-Monte-Carlo,

dans plusieurs conférences pluridisciplinaires et publiques et dans le livre intitulé *Pouvoirs Etranges d'un clairvoyant,* par Raymond Réant et Alain Sotto (Editions Tchou.)

Reportage réalisé par la revue Psi Réalité *n° 3, de décembre 1977*

Raymond Réant avait confié au Professeur Wolkowski et à ses collaborateurs (Michel Troublé, physicien nucléaire, et Raymond Viltange, ingénieur chimiste) les possibilités qu'il aurait parfois de percevoir la matière au niveau moléculaire et atomique.

Raymond Réant se « dédoublant » en quelque sorte pour se projeter au sein de la matière. Evidemment, des affirmations aussi spectaculaires devaient être vérifiées. C'est dans cette intention que le Professeur W. Z. Wolkowski et ses collaborateurs ont proposé une expérience permettant une bonne approche des facultés émises par Raymond Réant.

Après quelques essais préliminaires, un protocole satisfaisant a pu être établi. Cinq personnes ont participé à l'expérience. La première avait la responsabilité de choisir dans son laboratoire, cinq tubes plastiques identiques (scellés) contenant des produits chimiques. La deuxième, un enfant qui ne savait absolument pas ce dont il s'agissait, a numéroté au hasard ces tubes avec l'aide d'un dé à jouer. Une troisième personne a mis ces tubes plastiques dans d'autres, métalliques, une quatrième, qui était également ignorante du but poursuivi, a procédé au scellement avec une résine spéciale, de façon que la moindre tentative d'ouverture des tubes soit automatiquement décelable.

On peut constater que le maximum de précautions avaient été prises, tant pour éviter la fraude que pour empêcher une interrelation télépathique.

Les tubes ont été remis par le professeur W. Z. Wolkowski, qui, précisons-le bien, ne connaissait pas leur contenu, à Raymond Réant lequel, après sept jours, a présenté les résultats de ses perceptions extra-sensorielles. Bien entendu, le Professeur Wolkowski et ses collaborateurs ont attentivement vérifié que les tubes n'avaient pas été violés. L'enveloppe dans laquelle était décrit le contenu des tubes, fut alors ouverte afin de comparer les déclarations de Raymond Réant avec la réalité.

Au grand étonnement des observateurs, les perceptions de Raymond Réant s'avérèrent parfaitement exactes ; ce qui est véritablement extraordinaire en l'occurrence, c'est que la description de Raymond Réant ne s'arrête pas à la forme et à la couleur de la poudre ou du liquide contenu dans les tubes, mais qu'il a « visionné » la forme des cristaux, la structure électronique et le nombre d'électrons de chaque élément et ce, de telle façon qu'on peut faire une comparaison avec le modèle connu de Bohr-Rutheford. De plus, Raymond Réant a parfaitement décrit les « écrans » que représentaient les tubes en détaillant leur structure électronique. Ainsi il a cité, pour l'un d'eux, une structure correspondant à l'oxyde de zinc sur un des écrans et, effectivement, on a pu constater, après analyse qu'un peu de peinture blanche sur le tube d'aluminium conservait une forte proportion d'oxyde de zinc ! Pour le tube plastique il a trouvé qu'il contenait de l'azote.

Vérification faite, c'était exact !

William Wolkowski conclut que Raymond Réant arrivait bien à localiser sa perception sur le produit à l'intérieur des tubes et que les écrans ne l'incommodaient pas trop.

Cette expérience de « voyance » au cœur de la matière est effectivement très étonnante, mais on peut craindre, malgré les précautions prises, qu'une subtile relation télépathique ait pu s'infiltrer. Ces craintes ont été soumises au Professeur Wolkowski qui a répondu que, précisément, son premier souci avait été d'obvier à cet inconvénient d'une possible relation télépathique sujet/observateur, l'autre étant la confection de tubes inviolables.

« Nous avons élaboré une sorte de labyrinthe sensoriel pour qu'une éventuelle clairvoyance s'y perde et qu'il ne puisse subsister d'information directe pouvant être captée par le canal télépathique. Les cinq personnes, moi y compris évidemment, ne connaissaient qu'une petite partie des regroupements possibles. Je n'étais absolument pas au courant du contenu et des inscriptions des tubes.

Si Raymond Réant avait voulu utiliser la télépathie il lui aurait été nécessaire qu'il puise l'information, de manière séquentielle, dans le psychisme de chacun de nous, et qu'il en fasse l'assemblage puis la synthèse. Ceci me paraît peu probable. De plus, le fait qu'il ait décrit des éléments inconnus de nous tous en ce qui concerne les écrans, affaiblit encore l'hypothèse télépathique. »

VOYAGE AU SEIN DE LA MATIÈRE

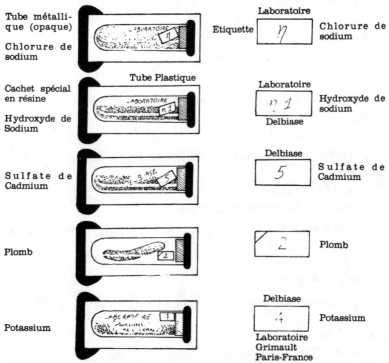

A gauche : Schéma des tubes scellés avec leur contenu.
A droite : Description du contenu des tubes et des inscriptions sur le tube plastique, par Raymond Réant. Les éléments atomiques (électrons, neutrons, etc.) cités par Réant ont permis de reconstituer le contenu exact.

Notons que cette expérience a particulièrement éprouvé Raymond Réant qui, son étude terminée, est resté plusieurs jours extrêmement fatigué, sans pouvoir exercer normalement son travail.

Villeparisis le 13/11/1974

Objet de l'étude : *Structure plus noyau.*

Départ : 14 h 30, fin à 21 h 30

Psychopathotactie en flacon scellé

Résultat :

« Noyau + 2 électrons + 8 électrons + 14 électrons + 2 électrons.
Observations faites sur les deux premiers électrons :
Forme : Sphérique.
Couleur : Violette.
Observations faites sur les huit électrons de la deuxième orbite :
Forme : Sphérique.
Couleur : Blanc métallique.
Observations faites sur les quatorze électrons de la troisième orbite :
Forme : Spirale.
Couleur : Argent.
Observations faites sur les deux électrons de la quatrième orbite :
Forme : Spirale.
Couleur : Blanc lumineux.
Observations faites sur le noyau :
Forme : Masse grisâtre très lumineuse, enrobée d'un rayonnement opalescent. L'ensemble tourne sur lui-même, dans le sens des aiguilles d'une montre. Cette masse lumineuse, très

grossie, constitue une sphère, agitée par des contractions, comme si une enveloppe en caoutchouc retenait une pâte en ébullition.

A l'intérieur de cette masse se trouve un petit noyau tourbillonnant qu'entourent des spires lumineuses. La queue de chacune d'elles se dissout dans la grosse masse grisâtre et lumineuse. »

Raymond Réant.

Résultat : exact, il s'agissait de fer.

Ces résultats, scientifiquement contrôlés, ont été relatés dans le *Journal of paraphysic* 1975, vol. 9, n° 3, et au *Second International congress on psychotronic research à* Monte-Carlo, Juin-Juillet 1975.

Lundi 14 octobre 1974
De 4 heures du matin, à 7 heures du matin

Tube n° 26
Etude en tube scellé, (Structure plus noyau.)

« Noyau plus 2 électrons, plus 8 électrons, plus 18 électrons, ou 19 ? Plus 7 électrons. »

Résultats : exact, il s'agissait de l'Iode.

Tube n° 21
Etude en tube scellé, (Structure plus noyau.)

Le 15/10/1974, de 9 heures à 11 h 30

« Noyau, plus 2 électrons, plus 8 électrons, plus 17 ou 18 électrons, plus 4 électrons.
Couleur du noyau : verdâtre. »

Résultat : exact, il s'agissait de l'étain.

Tube n° 44
Etude en tube scellé, (Structure plus noyau.)

Le 16/10/1974, de 15 heures à 16 heures et de 19 heures à
21 heures

« Noyau, plus 2 électrons, plus 8 électrons, plus 6 électrons. Couleur blanchâtre. »

Résultat : exact, il s'agissait du soufre.

Tous ces résultats d'expériences ont été relatés dans le *Journal of paraphysics* 1975, Vol. 9, n° 3, et au *Second International congress on psychotronic research* à Monte-Carlo, Juin-Juillet 4, 1975.

IV

« CE QUE JE FAIS
D'AUTRES PEUVENT LE FAIRE »

Le 24 mai 1980, au cours d'une émission radiodiffusée par France-Inter, j'ai eu la surprise d'entendre Mme Liliane Sauvran relater les résultats obtenus à mes cours. Ce témoignage spontané a touché ma sensibilité, car il étayait ce que je m'efforce de faire comprendre :

« Ce que je fais, les autres peuvent le faire. »

*
* *

> « *Le changement apporté dans notre expérience par l'apparition que nous appellerons bientôt* « *l'espace-temps* ». *Le temps devient indéfini.* »
>
> TEILHARD DE CHARDIN.

*
* *

Expérience exécutée par Mme Liliane Sauvran, sur un fragment de pierre, prélevé sur un tronçon de colonne du sanctuaire d'Athéna, (Temple de Delphes, Grèce).

L'origine du fragment ne lui fut communiquée qu'à la fin de l'expérience.

Les informations données par Mme Liliane Sauvran furent les suivantes :

« Je vois des montagnes... il fait chaud... Au loin, des montagnes assez dénudées... puis des arbres. Un temple circulaire, cerclé de quelques marches est pourvu de colonnes de pierre striées dans le sens de la hauteur.

Actuellement il ne reste qu'une sorte de plate-forme entourée de deux ou trois marches et colonnes et que quelques tronçons. Trois colonnes entièrement conservées soutenant un petit pan de mur et quelques tronçons... Des pierres assez volumineuses sont parsemées autour du temple.

Je suis à présent sur l'un de ces tronçons... il s'effrite. »

Résultat de cette psychopathotactie :

Le dessin de ce tronçon, tracé par Mme Liliane Sauvran, correspond exactement à celui sur lequel avait été fait le prélèvement, et son « récit » se révèle tout à fait exact.

Au cours d'une expérience, dite « d'incorporation », j'avais remis à Mme Liliane Sauvran, un petit échantillon de deux centimètres cubes d'eau de cologne, enfermé dans un emballage faisant barrage à toute suggestion possible. Dès que Mme Liliane Sauvran se fut « introduite » dans le flacon, elle signala qu'elle baignait dans un liquide parfumé, de teinte jaune, dans lequel elle se sentait un peu euphorique. « Le liquide dans lequel je suis est contenu dans un flacon de verre », dit-elle, puis elle ajouta : « je ne suis plus très à l'aise, j'ai l'impression d'être saoule. »

Je lui demandai alors de sortir de ce flacon, ce qu'elle fit ; elle conserva encore quelques instants les sensations perçues à l'intérieur.

Mme Liliane Sauvran continua ses séances d'entraînement, et entra assez souvent dans des tubes de quelques centimètres cubes, scellés et opacifiés, comme je le fais moi-même.

66

Si nous le voulons, nous pouvons nous reporter des milliards d'années en arrière, et les vivre au présent.

Information paragnostique obtenue par mes élèves, lors du cours de parapsychologie appliquée, qui a eu lieu le 23 octobre 1980 à mon domicile de Villeparisis

Ayant placé sur mon bureau une petite boîte en bois contenant une ammonite, et des petits sachets dans lesquels, enveloppés dans plusieurs couches de papier, se trouvaient enfermés quelques milligrammes de cette ammonite, plus une petite fiche consignant l'origine et les conditions dans lesquelles ce fossile avait été récupéré, je remis aux élèves les sachets témoins.

Les résultats de l'information paragnostique obtenus furent les suivants :

La plupart des élèves signalèrent qu'ils se situaient sous l'eau, sous un océan, ou une mer.

M. O. avait l'impression d'être comprimé dans une masse de terre grise, il ne voyait pas la lumière du jour. Ce qui était exact.

Mme Liliane Sauvran fit cette description :

« Je suis sous les eaux de la mer, je vois des tentacules, semblables à ceux que possèdent les pieuvres. » Elle décrivit, à l'aide de ses doigts, les mouvements tentaculaires caractéristiques de l'ammonite.

Après quelques minutes d'exploration, Mme Liliane Sauvran donna une description très précise sur l'origine des quelques milligrammes de fragments qui se trouvaient cachés, à l'abri de toute suggestion possible.

« Je suis sous l'eau et me sens basculer, de droite et de gauche... Je vois un énorme oiseau (qu'elle décrivait comme étant du type des archéoptéryx)... Puis je me sens prise dans de la glace... Ensuite comprimée sous la terre... Je vois des

67

têtes de poissons... des poissons... Je suis dans une obscurité totale.., J'entends une forte explosion et revois la lumière du jour. »

Mme Liliane Sauvran venait de retracer en quelques mots, alors qu'elle l'ignorait, l'existence d'un processus : période glacière, fossilisation et remise à jour à la suite d'une explosion provoquée par une charge de dynamite, au cours de travaux de terrassement à Macon. Elle a également signalé la présence d'un oiseau du type des archéoptéryx ; or, il est à signaler que les archéoptéryx, comme les ammonites, font partie de l'ère secondaire (150 millions d'années).

La terre a connu plusieurs périodes glaciaires. La dernière grande période glaciaire a débuté il y a environ un million d'années.

LE CHAUSSON DU PROFESSEUR DE DANSE

Le but de cet exercice parapsychologique était, par psycho-pathotactie, de donner le plus d'informations possibles sur un personnage et de le dépeindre, uniquement à l'aide d'un fragment de tissu d'un centimètre carré, provenant d'un ruban découpé sur un chausson ayant appartenu à un professeur de danse.

Cette expérience a été proposée le samedi 8, et le lundi 10 novembre 1980, à 18 de mes élèves.

Résultats obtenus

« J'entends un bruit, semblable à celui que fait un métronome. »

« Il s'agit d'une femme d'une trentaine d'années, mince, aux cheveux châtains demi-longs. Cette jeune femme donne des cours de danse à des enfants et à des jeunes filles. »

« Je vois une scène de théâtre avec des danseuses et des musiciens. »

« Je vois une danseuse. »

« J'entends de la musique. »

« Je ne vois rien mais je me sens légère, j'ai envie de danser. »

Ces résultats sont tout à fait positifs.

Samedi 8, et lundi 10 novembre 1980

Expérience effectuée par mes élèves, sur une petite lame d'or ayant été en contact avec une petite grenouille en or, trouvée dans un sarcophage au Pérou.

Résultat donné par 12 élèves :

« Je vois un sarcophage. »

Résultat donné par 3 élèves :

« Je suis dans une tombe. »

Résultat donné par 1 élève :

« Un socle se soulève, et je vois un corps dans un sarcophage. »

Résultat donné par 1 élève :

« J'étouffe, je suis enfermé dans une tombe. »

Résultat donné par 4 élèves :

« Je vois un corps dans un sarcophage, le visage du cadavre est couvert par un masque d'or formant des rayons, comme un soleil. »

Résultat donné par 1 élève :

« Je ne vois que du noir. »

Résultat donné par 3 élèves :

« Il doit s'agir d'un cimetière. »

Résultat donné par 1 élève :

« Je vois une croix, ce qui symbolise probablement la mort, car je sens également une odeur de pourriture, de moisissure, je ne sais pas exactement. »

Résultat obtenu par 2 élèves :

« Je vois une petite grenouille, quelque chose comme cela... sur le corps d'un mort, dans un sarcophage. »

L'un des deux élèves ajouta : « Je pense que cela se situe au Pérou. »

Ce jour-là, deux de mes élèves n'avaient absolument rien perçu. Je leur remis un petit tube contenant du sulfure de zinc radioactivé au stroncium.

La première élève observa une forte lumière et une main. Cette main était probablement la mienne car la veille, j'avais sorti le tube en question de sa gaine de protection afin de l'exposer à la lumière électrique.

La deuxième élève vit une lumière éblouissante.

Compte rendu d'expérience
Cours du 7 février 1981

Etaient présents 12 élèves.

Ce cours était principalement axé sur la torsion de barres métalliques, par voie psychique.

Après avoir distribué à chacun des élèves un clou de 55 mm de long sur 3 mm de diamètre, je pris également un clou pour expliquer le processus, puis je donnai les instructions suivantes :

« Prenez le clou entre le pouce et l'index de l'une de vos mains et, avec le pouce et l'index de l'autre main, caressez légèrement la surface du clou restée libre, en lui portant une sorte d'affectivité, comme si vous caressiez un animal que vous aimez... Après quelques minutes, fermez les yeux, et continuant d'effleurer l'objet, imaginez que vous le voyez en train de se ramollir et que, n'étant plus assez dur pour conserver une ligne droite, il se plie progressivement. Ouvrez alors les yeux, en plaçant cette visualisation sur le clou réel, afin qu'il en épouse la forme.

Si vous n'obtenez pas de résultat positif, recommencez le processus, mais arrêtez dès que la lassitude s'empare de vous.

Je fis la démonstration ; le clou que je tenais se plia en épousant un angle de 20°. Quelques minutes plus tard, M. J. qui, comme Saint Thomas ne demandait qu'à voir, eut la surprise de constater que le clou sur lequel il agissait se pliait légèrement, accusant un angle d'environ 5°. Il fut assez stupéfait, et montra le phénomène obtenu aux personnes présentes.

Encouragé, il continua l'exercice afin d'accentuer la courbure, mais c'est le contraire qui se produisit, le clou reprit sa ligne droite initiale.

Le samedi 21 février 1981, M. C., qui expérimentait pour la première fois la torsion des métaux, obtint une courbure d'environ 5°. Un autre élève a obtenu une torsion en forme d'S... D'autres, des courbures de quelques degrés durant ce cours.

Il faut remarquer qu'il ne pouvait, en aucun cas, y avoir fraude ; les élèves ne savaient pas quelle serait la nature, ni la forme de l'objet qui leur serait remis. Il ne pouvait donc pas y avoir substitution, ni pliage mécanique du clou avant le cours. De plus, cet objet ne pouvait pas être tordu à la main, sur l'une des extrémités comme ce fut le cas, et bien moins encore en forme d'S.

Cours du samedi 28 mars 1981 à 10 heures

Je posai à mes élèves la question suivante :
« Voici un fragment de tissu provenant d'un vêtement maculé de sang qui se trouve dans une boîte placée sur mon bureau. S'agit-il d'un crime ? D'un accident ? Ou d'un suicide ? Décrivez-le, ou les personnages que vous voyez. »

Réponse de M. Philippe Vanzo :
« Il s'agit d'une jeune fille blonde, d'environ vingt ans, qui s'est frappée trois fois de suite avec un couteau à longue lame, dans la région du cœur... mais elle n'est pas morte... »

La réponse était parfaitement exacte. Je sortis la pièce à conviction qui laissait apparaître, dans la région du cœur, les traces des trois coups de couteau de cuisine, et la tache de sang provoquée par l'hémorragie qui s'ensuivit. Dix témoins se trouvaient dans la salle de cours.

71

Expérience exécutée par ma petite-fille Aurore (huit ans)
Le 21 février 1981 à 11 heures

Après avoir à son insu enfermé dans une boîte de carton épais, une statuette représentant le discobole, j'appelai ma petite-fille Aurore, et lui demandai de discerner, par clairvoyance, ce qu'il y avait à l'intérieur.

Elle hésita quelques secondes, et répondit :

« Une statuette grecque », ce qui était exact. Elle exécuta une seconde clairvoyance avec une boîte en carton, dans laquelle se trouvait un réveille-matin de couleur rouge. Sa réponse fut la suivante :

« Je vois quelque chose de rond, rouge, certainement un réveil. » Ce qui était donc exact.

Après avoir enregistré psychiquement une information sur un petit cube incolore en matière plastique de 2 cm^3, je demandai à ma fille Aurore de faire une expérience de clairaudience. Elle plaça, comme il convient, le petit cube sur sa tempe gauche. Après quelques secondes elle annonça qu'elle entendait une succession de chiffres ; 1-2-3-4-5, etc. Ce qui était exact. J'avais enregistré les chiffres de 1 à 30. Je dois dire que ma fille était libérée ce jour-là des obligations scolaires et de ses études musicales, car il faut très peu de chose pour ne pas réussir de telles expériences ; la moindre contrainte suffit pour ne rien percevoir.

L'après-midi du même jour, je renouvelais les mêmes expériences avec un groupe d'élèves.

Les deux boîtes étaient placées sur mon bureau, à environ un mètre du premier rang d'élèves. Les résultats ne se firent pas attendre.

Après cinq minutes d'attention, M. Robert annonça qu'il voyait un discobole dans la boîte de droite. Le Dr Mme Clara Reydellet dépeignit le réveille-matin qui se trouvait dans la boîte de gauche. Les autres élèves donnèrent des informations plus ou moins approchantes.

Nous avons ensuite abordé l'expérience de clairaudience avec les cubes. Le rythme de l'enregistrement fut perçu par l'ensemble des élèves, et l'un d'eux annonça qu'il s'agissait d'une succession de chiffres.

Cours du samedi 28 mars 1981 après-midi
Expérience de clairvoyance et de dédoublement

L'expérience consistait à percevoir une personne qui se lèverait dans la salle de cours, en l'absence de l'observateur. M. L. exécuta cette expérience et, de retour dans la salle de cours, pointa l'index de sa main droite vers M. Christophe, et dit : « Il s'agit de ce monsieur. » Ce qui était exact.

Je proposais ensuite au Docteur Mme Clara Reydellet de faire la même expérience. Le phénomène éprouvé fut différent de celui de M. L. En effet, le Dr C. Reydellet se « dédoubla » et se trouva en face de M. L. qui avait, à l'insu de Mme C. Reydellet, proposé de servir de « Cible ». Le flou ectoplasmique du Dr Reydellet était visible à l'œil exercé.

Physiquement de retour dans la salle de cours, le Dr Clara Reydellet dit ceci :

« Je me suis trouvée devant M. L. Je voyais, de dos, Mme J. et j'ai remarqué que sa coiffure était agrémentée d'une petite natte. »

Tout était vrai. Effectivement, les cheveux de Mme J. constituaient, discrètement cachées le long de sa nuque, une petite natte soigneusement tressée, que M. L. regardait durant l'expérience pour focaliser son attention, afin d'éviter une interférence télépathique, toujours possible, avec le Dr C. Reydellet.

LE POISSON EN ONYX

Le samedi 7 mars 1981, je fis faire à mes élèves les expériences suivantes :

Un élève devait s'isoler dans une pièce contiguë à la salle de cours, tandis qu'une personne, choisie au hasard, prenait entre les mains un poisson en onyx, qu'elle conservait pendant

73

une trentaine de secondes, le replaçant ensuite sur mon bureau. Ceci étant fait, j'ouvrais la porte qui donne dans la pièce adjacente, et faisais entrer l'élève, lui demandant si, par clairvoyance il avait pu observer la personne qui avait touché cet objet. Dans le cas positif, cela ne présentait pas d'intérêt pour cette expérience, mais dans le cas contraire, l'élève devait prendre l'objet entre ses mains et donner l'information par psychopathotactie.

Les résultats furent assez spectaculaires, d'autant plus que c'était la première fois que je faisais faire cette sorte d'expérience à mes élèves. Six élèves sur onze identifièrent en quelques secondes la personne qui avait touché l'objet. (Je précise, qu'à chaque expérience, la personne « cible » était choisie au hasard.)

Une autre méthode consistait à détecter la personne qui avait touché l'objet, en étendant le bras et la main droite en avant, en « balayant » la salle, afin d'obtenir la « sensation » qui permettrait de l'identifier. Les résultats furent aussi positifs que dans la précédente expérience.

Expérience de psychopathotactie, relatée dans le journal Banco *n° 173, du samedi 29 septembre 1979*

Cette expérience avait pout but de faire apparaître cette possibilité à une journaliste accompagnée d'un photographe de ce même journal.

Extrait de l'article :

Réant m'a placé une feuille sur le front... « A vous de me dire d'où vient cette plante, quels événements lui sont rattachés... »

Sur les conseils de notre professeur, nous plaçons la petite pochette abritant le végétal sur notre front, entre les deux yeux. Et nous voilà plongés dans une longue méditation.

« Je vois un bateau blanc, finit par dire le photographe qui m'accompagne, des gens sont affairés » — « il y a une plage, des palmiers, dis-je à mon tour, les gens sont noirs de couleur, mais je ne vois pas le bateau ! » « J'entends un grand bruit sourd, reprend le photographe, les hommes sont apeurés mais en même temps fatalistes. » « Un arbre tombe », dis-je. Notre professeur nous arrête, plutôt satisfait des premiers pas parapsychologiques de ses nouveaux élèves... Car le bout de feuille dont nous avons recherché l'histoire a été ramassé lors de l'éruption de la Soufrière, volcan guadeloupéen. L'inscription sur la boîte qui nous était cachée pendant l'expérience, est venue confirmer les dires de M. Réant. En fait, par nos réflexions mutuelles, nous avions vaguement réussi à percer le mystère contenu dans la pochette de plastique.

« J'ai deviné le contenu du tube placé sur mon front. »

Quant à moi, je ne pénètre pas les éléments, comme le fait M. Réant, je me contente de voir, à travers l'opacité du papier qui recouvre un tube de verre, des grains clairs. M. Réant nous arrête, nous déchirons le papier et découvrons des cristaux de sel de la mer morte !

Mon camarade s'était dédoublé, devenant aussi petit que le tube de sel. Le sel lui donnant donc l'impression de roches, j'avais, moi aussi, selon l'explication de Réant, pratiqué une autre méthode, la clairvoyance.

LA RÉTROCOGNITION SPONTANÉE OU PAR DÉSIR

La rétrocognition est la connaissance paranormale du passé, d'informations extérieures à la mémoire du sujet.

Ce terme est employé lorsque, pour obtenir une information dans le passé, l'on n'utilise pas de support matériel.

Personnellement, le phénomène peut se déclencher spontanément, ou en le provoquant.

Il se produit spontanément, le plus souvent lorsque je me trouve dans un lieu où il s'est passé quelque chose qui aurait pu attirer mon attention, si j'avais été présent au moment où l'événement s'est produit ; suivant son importance, il m'apparaît un simple cliché, ou alors se déroule un véritable « revécu » de la ou des scènes passées en ce lieu.

Je provoque le phénomène de rétrocognition, lorsque je suis fortement motivé par une information à obtenir, et que je ne possède aucun contact susceptible d'être utilisé en psychopathotactie.

Dans ce cas, je me mets dans les mêmes conditions psychiques que pour pratiquer une psychopathotactie. N'ayant pas de support matériel, je visualise, c'est-à-dire, me représente mentalement le sujet dont je veux obtenir des informations, je formule le désir de les recevoir. Il faut, bien entendu, que mon désir soit bien motivé afin d'obtenir un maximum de précisions. Ces conditions étant rassemblées, les perceptions paragnostiques ne tardent pas à se manifester.

Voyance dans le passé sous hypnose

La voyance dans le passé peut également être obtenue sous hypnose. Je ne m'étendrai pas sur cette méthode, car je ne vois pas en elle une entière indépendance de l'individu, qui se trouve, en quelque sorte, soumis à la volonté de l'hypnotiseur, alors qu'il peut utiliser une méthode d'auto-indépendance.

Rétrocognition involontaire à partir d'un message télépathique

Mireille devait envoyer à Josette l'image d'un objet qu'elle avait sous les yeux, à l'abri des regards, et Josette devait indiquer ce qu'elle captait.

J. — « Je vois des stries. »

M. — « Exact. »

J. — « Je vois un Breton en habit rayé, comme on en peint sur les faïences de Quimper. »

M. — « Oh ! cela se passe beaucoup plus loin que la Bretagne. »

J. — « Il me vient l'image, maintenant, du Kilimandjaro et de son cône de neige, il s'agit peut-être d'un Africain. »

M. — « C'est cela. »

Mireille découvre la tête en bois sculpté d'un Africain dont la coiffure présente des stries. Sous cette sculpture, j'avais collé une petite étiquette qui indiquait qu'elle provenait du Kilimandjaro. Je précise qu'elle m'a été rapportée d'Afrique par un ami, qui se rendait de temps à autre en Bretagne.

Cette perception n'était donc pas de la télépathie, puisque Mireille l'ignorait, mais de la rétrocognition involontaire.

Ce type d'erreur, qui n'en n'est pas réellement une, permet de comprendre certaines juxtapositions dans les phénomènes métagnosiques.

La télépathie est la faculté paranormale qui a été la plus étudiée en parapsychologie. Je n'ai pas l'intention, dans cet ouvrage, de relater la multitude des expériences observées par des savants très réputés, d'ailleurs à leur juste valeur, mais de vous faire part en tant que parapsychologue praticien, des méthodes extraites de mes propres expériences.

Afin d'être au cœur du problème, je ne vous parlerai pas, comme la plupart des théoriciens, de la télépathie « quantitative », mais de la télépathie « qualitative », c'est-à-dire, de la télépathie « vivante ».

V

LA TÉLÉPATHIE

La télépathie est la communication de pensée qui ne fait pas appel aux cinq sens habituels.
(Terme choisi par F. W. H. Myers en 1883).

Voici les lois de la télépathie :

Suivant René Warcollier, l'un des précurseurs de la recherche parapsychologique en France et dans le monde :
« L'image transmise est très souvent dissociée en télépathie, en éléments parfois assemblés secondairement dans un autre ordre. Les images géométriques simples sont souvent bien transmises, ce qui explique les succès qu'on peut rencontrer malgré tout avec les cartes de Zener. Mais par exemple, et du fait de la dissociation, un carré pourra ne pas se transmettre comme carré, mais comme quatre angles droits dispersés dans l'espace. Ce qui se transmet le plus souvent et le plus aisément, ce sont les états d'âme et les images de mouvements ; le plus difficilement, les symboles purement abstraits comme les lettres de l'alphabet. Le fond sur lequel l'image se détache et spécialement le contraste noir et blanc sont très importants. On peut observer, de plus, un certain degré de latence, en ce sens que l'image n'arrive qu'après un décalage de plusieurs secondes, minutes ou même jours. Ce dernier phénomène ne se rencontre pas avec les expériences du type

Rhine (1), à moins qu'il en faille rapprocher l'influence de la cadence sur les tests de télépathie à longue distance. »

Les cartes de Zener sont au nombre vingt-cinq, du format habituel des cartes à jouer, qui portent en noir sur fond blanc, une croix, une ligne ondulée, un cercle, une étoile et un carré. On les enferme dans des enveloppes de papier noir opaque et on constitue des paquets de vingt-cinq cartes où, par conséquent, chacun des symboles est répété cinq fois. C'est ce paquet de cartes ensachées de noir qui constitua l'instrument presque exclusif des recherches de Rhine pendant vingt-cinq ans. Et vous le comprendrez facilement : si on se contente d'essayer de deviner quelques cartes se trouvant enfermées dans les enveloppes, on étudie alors la faculté appelée clairvoyance. On peut faire varier la distance entre l'expérimentateur qui bat les cartes et le sujet qui doit les deviner ; la position du sujet par rapport aux cartes, la taille des symboles, l'effet de certaines drogues, etc. Mais on peut faire mieux : le sujet peut écrire ses « divinations » avant que les cartes ne soient battues, quelques minutes, quelques heures, un mois ou même un an avant (tout ceci a été fait). C'est le voyage dans le temps ou précognition. Mais l'expérimentateur peut se borner à songer aux symboles de Zener sans support matériel ; si le sujet arrive à deviner à quoi pense l'agent, il s'agit de télépathie, technique bien plus difficile à pratiquer et à interpréter que la clairvoyance.

QUAND LA TÉLÉPATHIE S'ENSEIGNE ET S'APPREND

Du grec têle *au loin, et* pathos, *affection.*

La télépathie est la communication de pensée, d'idée, d'émotion ou de sensation, etc., qui ne fait pas appel aux cinq sens habituels, entre une ou plusieurs personnes (ou animaux).

(1) *Traité de métapsychique* de Ch. Richet, Librairie Félix Alcan, 1923.

Terme choisi en 1886, par Frédéric Myers, alors membre de la Société pour la recherche psychique de Londres.

La télépathie peut dans certains cas se produire spontanément.

Télépathie spontanée

La télépathie spontanée est celle qui apparaît sans être recherchée, le plus fréquemment lorsqu'une personne gravement menacée, ou fortement motivée, pense intensément à un être qui lui est cher. Dans ce cas, la représentation du sujet motivé est susceptible d'être perçu par l'être cher, sans qu'un mécanisme volontaire n'intervienne.

En ce qui me concerne, je perçois le message visuel très clairement, comme s'il m'apparaissait extérieurement. S'il s'agit d'un mot, ou d'un message auditif, en langue étrangère, je reçois mieux le sens de ce message s'il est produit mentalement par l'agent que s'il est écrit. En effet, la personne qui écrit le mot, le projette tel quel, ou superpose l'idée de ce mot avec son dessin. Mais lorsqu'elle pense, elle projette uniquement mentalement le message ; alors sa pensée traduit directement le sens du mot. Il s'effectue, en quelque sorte, une transmission directe de la pensée.

Voici la méthode que j'enseigne à mes élèves afin de provoquer ce phénomène :

Faire le vide de vos pensées, puis visualiser, c'est-à-dire faire apparaître mentalement l'image de la personne, pour laquelle le message est destiné. Cette représentation doit être aussi « vivante » aussi réelle que possible. Cela étant obtenu, représentez-vous le sujet cible, comme si vous étiez réellement devant lui vous regardant. Puis envoyez le message, déterminé à l'avance, en vous figurant l'introduire dans son cerveau, en passant par l'espace compris entre les deux sourcils, considéré comme étant une porte ouverte sur l'esprit.

Répétez cette opération avec autorité, et avec la certitude que le message sera reçu. Plus le message sera court et

« percutant », mieux le message sera reçu. Mais il doit être soutenu plusieurs minutes, lorsqu'il est adressé à une personne non prévenue.

Il ne faut pas opérer lorsque vous êtes fatigué ou énervé, ni si vous vous trouvez dans un état dépressif. Ces états annihilent les émissions psychiques.

Le phénomène télépathique ne tient pas compte de la distance qui sépare le couple « émetteur-récepteur ». Les états affectifs favorisent beaucoup plus aisément le phénomène, que les concepts intellectuels. Autrement dit, il faut y mettre tout son cœur.

Pour recevoir télépathiquement, il est préférable que vous soyez informé de l'heure à laquelle l'agent produit le message. Vous devez, au moment choisi, faire le vide de vos pensées, puis visualiser l'image de l'agent, avec le plus de précision possible, comme s'il était réellement devant vous. Fermez alors vos yeux, et attendez avec la certitude que vous allez recevoir ce message. Avec un peu de pratique, vous devez réellement recevoir, dans ces conditions, les messages qui vous sont envoyés.

Quelle est la différence entre la perception télépathique, et la perception psychopathotactique, ou de clairvoyance ?

Une perception télépathique ne présente pas les mêmes couleurs, les mêmes contrastes que les deux autres formes de perception. Si un sujet pense à un paysage marin, par exemple, et le projette télépathiquement, l'image mentale ne sera pas si nette que l'image réelle de ce paysage, et baignera par ce fait dans un « flou » que chacun peut observer dans la constitution d'une image mentale.

Les deux autres types de perceptions (Psychopathotactie et clairvoyance) se présentent sous une apparence plus réelle. Pour un sujet entraîné, les impressions sont les mêmes que celles obtenues par les cinq sens habituels.

Pour s'entraîner à la télépathie, il faut choisir un correspondant, ou une correspondante qui soit en harmonie avec votre caractère.

On distingue deux états télépathiques.

Le premier est celui où le sujet joue le rôle de récepteur (que l'on nomme percipient).

Le deuxième est celui où le sujet joue le rôle d'émetteur, (nommé agent).

a) *Le rôle de l'agent*

Le rôle de l'agent est positif. Le sujet jouant ce rôle doit, premièrement, faire le vide mental, ensuite imaginer le message qu'il veut ou doit envoyer à son correspondant. S'il s'agit d'un simple signe, par exemple un carré, il doit imaginer ce carré, le visualiser, et le projeter mentalement, comme avec une fronde, vers son correspondant... voir ce carré se dissoudre sur le visage de ce dernier, comme s'il était absorbé, et lui réapparaître en vision interne. La méthode présentée dans les pages précédentes peut également être utilisée, bien qu'elle soit moins parfaite.

Cette sorte d'exercice doit être effectué assez fréquemment, à des jours, heures et minutes convenus entre les deux sujets.

Les signes utilisés doivent être variés. Il peut s'agir de simples signes géométriques, ou d'objets aux contours faciles à visualiser, tels que : un fruit, une bouteille, une table, etc.

b) *Le rôle du percipient :*

Le percipient joue un rôle passif. Aussitôt après avoir fait le vide mental, il doit visualiser le visage de son correspondant durant quelques secondes avant l'expérience pour se mettre en rapport télépathique avec l'agent puis, en fermant les yeux de préférence, créer en lui un tableau noir, sur lequel il devra attendre l'arrivée du message qui apparaîtra alors sur cet écran. Il ne restera plus qu'à enregistrer le message perçu. Il est bien évident que les premiers résultats seront un peu décevant (ce n'est d'ailleurs pas toujours le cas).

Pour bien développer les facultés télépathiques, les rôles doivent être inversés d'une séance à l'autre, c'est-à-dire que le sujet qui était percipient, devra jouer le rôle d'agent, et l'agent, celui de percipient, de façon à ce que chacun puisse s'habituer à émettre et à recevoir.

Après avoir fait quelques expériences avec des « formes » vous pouvez expérimenter quelques exercices avec des scènes mouvantes.

A titre d'exemple, voici quelques exercices, avec les résultats obtenus par des débutants.

Résultats télépathiques obtenus avec des formes

Les signes suivants « envoyés » à trois sujets (A) (B) et (C), ont donnés les résultats indiqués ci-dessous.

Le percipient (A) a reçu correctement le carré ; le cercle, sous une forme particulière a également bien été saisi ; la bouteille reste inachevée et la table possède une ligne à sa base.

Le percipient (B) présente un carré inachevé ; le rond en forme de soleil, puis un carré sur le point de se fermer, qui prend place sous la bouteille qui n'a pas été captée ; ensuite à la place de la table le sujet a capté un S inversé, que l'on peut comparer à deux demi-cercles ; il est donc resté impressionné par le cercle, et n'a pas reçu la table.

Le percipient (C) a reçu le carré sous la forme d'un losange, le cercle a récupéré un trait venant de la perception du carré, la bouteille a bien été perçue, avec omission de la ligne courbe visible à la base. La table a été coupée en deux, formant ainsi deux T.

Dans l'ensemble, ces résultats sont merveilleux.

Sur le plan pratique, la réception des signes peut être d'une grande utilité, servir à recevoir des messages codés, et aussi au téléguidage à distance. En ce qui concerne le téléguidage, j'ai eu personnellement plusieurs fois l'occasion d'en apprécier les résultats. (Voir *Pouvoirs Etranges d'un Clairvoyant,* Tchou.)

Formes envoyées

Résultats obtenus par le percipient (A)

Résultats obtenus par le percipient (B)

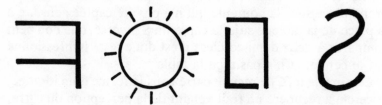

Résultats obtenus par le percipient (C)

84

VI

LE DÉDOUBLEMENT

Le phénomène de dédoublement, également appelé « Bilocation », ou « Projection hors du corps », est la sortie, hors du corps physique, du corps subtil, communément appelé « corps astral » ou encore, « corps subtil » ou « bioplasmique ». Le corps subtil, de consistance semi-matérielle, coexiste avec le corps physique. Il est généralement imperceptible aux cinq sens habituels.

Le phénomène de dédoublement n'est pas simple à interpréter. Tout d'abord, ce phénomène peut se produire de façons assez diverses.

1° A l'état de veille.
2° Inconsciemment.
3° Sous hypnose.
4° Par la mort du corps physique.

A l'état de veille, ce phénomène peut être provoqué spontanément, ou se déclencher pendant un exercice de clairvoyance, parfois même dès le début.

Pour un débutant, provoquer le dédoublement du corps bioplasmique demande avant tout une bonne connaissance du phénomène et plus encore, un bon équilibre physique et psychique. Je ne m'étendrai pas dans cet ouvrage, sur la complexité du corps humain, mais un minimum d'informations est nécessaire pour comprendre le processus du dédoublement.

Le corps humain est formé par des molécules, constituant la

partie visible de l'être, mais aussi de molécules moins denses que les premières qui constituent le corps subtil, parfaitement imbriquées avec celles du corps visible.

Plusieurs procédés permettent de provoquer le dédoublement. En ce qui me concerne, je me suis aperçu que je me dédoublais inconsciemment, durant des expériences de clairvoyance et, afin d'étudier ce phénomène, je me suis entraîné, de façon à le provoquer volontairement, selon cette technique :

Choisissez les moments dans lesquels vous ne risquez pas d'être dérangé par des bruits, ou autres distractions susceptibles d'attirer votre attention. Il faut éviter les heures de digestion, car celle-ci utilise une grande quantité de forces psychiques, perturbant ainsi la production du phénomène de bilocation. Il est bon, afin d'écarter du corps tout contact étranger, de procéder à des soins corporels en prenant un bain. Il est préférable que le lieu dans lequel vous vous trouvez pour effectuer cette expérience ne soit que faiblement éclairé.

Etendez-vous alors sur votre lit, et relaxez-vous pendant deux à trois minutes. Après avoir acquis cet état, concentrez votre volonté, en fermant les yeux, sur le lieu où vous désirez vous rendre. Le plus facile, dans les débuts, est de se concentrer sur un point situé à une dizaine de centimètres de votre troisième œil (situé à la racine du nez, entre les deux sourcils) ; il faut bien visualiser ce point, s'y sentir comme si vous y étiez réellement, puis imaginez-vous vous lévitant, et vous plaçant à une dizaine de centimètres du plafond de la pièce que vous occupez. Visualisez ce plafond, comme si vous étiez réellement placé à une dizaine de centimètres de lui. Voyez-le tel qu'il est réellement. Concentrez-vous bien sur cette situation, puis faites le chemin inverse, imaginez-vous redescendant, pour vous placer à une dizaine de centimètres de votre corps physique. Visualisez bien la situation, comme si vous viviez réellement cette aventure, puis laissez-vous mentalement vous replacer sur votre corps physique, en ayant l'impression d'être aspiré par celui-ci, comme une éponge

86

aspirant de l'eau. Vivez attentivement cette sensation, puis réalisez votre intégrité, en imaginant et en ressentant votre « double » se replacer normalement dans votre corps physique, occupant tous deux le même espace. Ouvrez ensuite les yeux. Ce sera le premier exercice.

Revivez mentalement cet exercice durant les deux jours qui suivront, lorsque vous disposerez de quelques minutes de tranquillité.

Le troisième ou quatrième jour, recommencez le précédent exercice, en imaginant que le phénomène de dédoublement se produit, et arrêtez là pour ce deuxième exercice.

Un ou deux jours après le deuxième exercice, faites le troisième, comme suit :

Vous étant mis dans les conditions préparatoires habituelles, décidez de vous dédoubler et de vous rendre réellement dans un endroit choisi.

Après vous être étendu sur votre lit, concentrez votre volonté sur le lieu où vous voulez vous rendre, « sentez-vous » sortir de votre corps physique, « sentez-vous » flotter au-dessus de votre corps, jusqu'au moment où vous aurez une sensation de chute. Cette sensation de chute est le signal qui indique que le dédoublement réel est en train de s'effectuer... Une sensation très désagréable, presque indéfinissable vous envahira, votre cœur s'accélérera sous l'effet d'une forte angoisse due à l'inquiétude, la peur de mourir. Ressaisissez-vous, et arrêtez l'exercice. Recommencez quelques jours après le même exercice, ainsi que les jours suivants, pour vous habituer à cette sensation ; lorsque vous arriverez à ressentir cette sensation de chute, sans éprouver d'angoisse, alors laissez-vous aller... Vous vous sentirez comme emprisonné dans un tube très long au bout duquel vous verrez une éblouissante lumière jaillissant des ténèbres dans lesquelles vous vous trouverez. Puis vous vous sentirez sortir de votre corps, dans un bruissement soyeux. Vous aurez l'impression de vous diriger vers une lumière, un disque éblouissant, et grandissant progressivement, comme si vous sortiez d'un tunnel sombre. Vous éprouverez ensuite une sorte de décompression, suivie d'une agréable sensation de légèreté. Vous vous trouverez alors hors de votre corps physique, et pourrez le contempler à loisir, avant de vous sentir transporté sur le lieu de votre désir, que vous pourrez voir réellement, comme si vous y étiez physiquement. Lorsque vous aurez obtenu les informations désirées, ou terminé votre petite promenade « hors du corps », il vous suffira d'exprimer le désir de retourner dans votre corps physique, pour que votre « double » vienne s'y replacer tout naturellement. Vous sentirez un réflexe se produire en vous, comme une petite secousse et, si vous êtes loin de votre corps physique, vous aurez l'impression de traverser l'espace qui vous sépare de lui, à une allure inouïe. Vous placerez votre double au-dessus de votre corps physique, et (étant dans votre double) vous vous sentirez attiré par un cordon lumineux qui vous aura suivi durant tout votre voyage (1). Vous serez alors absorbé par votre corps physique et vous aurez une impression désagréable, comme si vous entriez dans une substance gluante, avant de reprendre votre vie courante.

Si ce dernier exercice n'a pas réussi, il vous faudra recommencer jusqu'à obtention de la réussite.

Au cours de vos déplacements en état de bilocation, vous serez surpris de constater que vous pouvez traverser les corps solides, murs, montagnes, etc., comme s'ils n'étaient que des gaz. La première sortie de votre corps subtil vous provoquera une grande fatigue mais, avec l'habitude, cette fatigue ne sera que très légère.

Je tiens à signaler qu'il y a de nombreuses façons de provoquer le dédoublement, mais que les résultats obtenus ou observés, restent sensiblement les mêmes. Lorsque vous aurez l'habitude de vous dédoubler, les préparatifs ci-dessus indiqués ne vous seront plus nécessaires, et vous pourrez vous dédoubler dans n'importe quelle situation, même dans le train ou dans le métro.

(1) Il s'agit du cordon d'argent, bien connu des clairvoyants et des parapsychologues.

Le double aveugle est la projection, hors du corps physique, du corps subtil, l'esprit restant dans le corps physique. Dans ce cas, le double n'a pas d'intelligence, et ne voit pas les dangers qui peuvent le menacer, les altérations au contact de pointes métalliques par exemple. Cet état de dédoublement aveugle peut être effectué à l'état de veille, c'est-à-dire, sans le sommeil hypnotique, artificiel ou naturel, de la façon suivante :

Ayant fait le vide mental, ordonnez à votre corps subtil de se rendre dans un lieu bien déterminé, et d'y apparaître. Il faut, en donnant cet ordre, créer l'image mentale du résultat à obtenir. Cette image mentale doit être soutenue le plus possible, en prenant soin de n'oublier aucun détail, aussi bien dans les formes que dans les couleurs. Plus l'image mentale est nette et précise, plus le phénomène se concrétise et mieux il sera perçu par l'opérateur se trouvant sur les lieux où doit se produire le phénomène. Expérimentalement, afin d'éviter toute possibilité de suggestion, il est préférable que l'observateur ne soit pas prévenu de l'expérience, mais qu'il soit informé qu'il ne faut, en aucun cas, « agresser » une inoffensive apparition. Il est donc prudent de produire le phénomène devant un parapsychologue digne de ce titre, bien informé sur la question, car l'état de santé physique du sujet en dépend.

Certains sujets mal intentionnés utilisent cette forme de dédoublement pour effrayer de braves gens. C'est ainsi qu'aux cours d'action « antifantômes », des « sorciers » se sont retrouvés chez eux avec des blessures plus ou moins graves. En effet, si une aiguille, ou une pointe métallique sont plantées dans une apparition fantomatique, constituant le corps subtil d'un individu, celui-ci reporte cette vive douleur sur le corps physique du sujet biloqué. L'explication ? Une perte d'énergie au point correspondant de la douleur perçue.

Une lame effilée, ou une pointe métallique peuvent, en traversant un « double » provoquer une réaction extrêmement dangereuse, pour le corps physique. Donc, « Sorciers », prenez garde ! On ne joue pas impunément avec le mal.

LE « DON » D'UBIQUITÉ SE PROTÈGE ET SE CULTIVE
Attention aux pointes d'acier et aux imprudences

Un médium en état de transe est susceptible de se dédoubler et d'apparaître à une distance assez considérable de son corps physique. A bien dire, dans cette sorte de phénomène, la distance ne présente aucune importance pour sa réalisation. Cet état de chose est ce que l'on appelle un phénomène d'UBIQUITE.

L'être humain, lorsqu'il est en état de dédoublement, a, dans certaines conditions, la possibilité d'apparaître en deux endroits à la fois, d'être présent dans un endroit avec son corps physique, et dans un autre avec son « double » se présentant sous une apparence matérielle comparable visuellement à celle de son corps physique.

Avant que l'état de dédoublement ne se produise, si le médium désire se transporter dans un endroit précis, le double, intimement lié avec une partie de l'intelligence du sujet, quitte alors le corps matériel, laissant le corps physique dans un état passif, si l'esprit est parti avec le double, ou un état actif, si l'esprit est resté avec le corps physique. De toute façon, les deux corps, subtil et matériel, restent en contact étroit, par l'intermédiaire d'un « cordon lumineux » infiniment extensible, habituellement nommé « cordon d'argent ».

Certains parapsychologues pensent que le double n'est pas susceptible d'être endommagé, parce qu'il n'est pas constitué de chair et d'os, et qu'il disparaît, dès l'instant où il se sent menacé de mort. Pour ce qui me concerne, cela ne me paraît pas toujours évident. En effet, le double peut s'exposer à des différences de température considérables, sans en être pour cela endommagé. Cependant, il court un grand risque s'il se trouve traversé par une aiguille d'acier. Nombreux sont les médiums imprudents qui s'y sont laissés prendre. C'est pour cela que les voies qui conduisent à la « connaissance » sont jonchées de crânes.

Si un médium se trouve dans un état de dédoublement complet et, par mégarde, se rend, à l'aide de son double, sans y être invité, dans une maison, perturbant même inconsciemment les lieux, il peut se trouver en face d'un personnage avisé qui, à l'aide d'une pointe d'acier (isolée par un manche en bois) traverse un endroit quelconque de son double, produisant ainsi un événement fâcheux. En effet, les pointes d'acier, je ne saurais trop le répéter, agissent sur le double comme sur une source d'électricité, et une partie, sinon la totalité de la substance énergétique du double ainsi agressée, subit une perturbation profonde, qui se répercute sur le corps physique, lorsque le double, en partie désorganisé, réintègre ce dernier.

Lorsqu'une pointe métallique touche un double nettement « matérialisé », ou d'apparence fantomatique, il se produit une ou plusieurs étincelles, voire même une gerbe de feu, suivant l'importance du contact. Ce « pouvoir » des pointes, utilisé jadis par certains chasseurs de fantômes, est d'ailleurs toujours usité de nos jours, pour rétablir le calme dans les maisons hantées par les fantômes de personnages en état de dédoublement.

VII

LES RISQUES DANS LE DÉDOUBLEMENT

Les risques que peuvent encourir les personnes en état de dédoublement, sont de plusieurs natures.

1) On ne doit pratiquer le dédoublement qu'après s'être assuré d'être en bonnes conditions physiques et psychiques.

Le premier ennemi est la peur. Il ne faut pas oublier que les premières sorties hors du corps physique donnent des sensations psychologiques bien particulières, semblables à celles qui se produisent au moment de la mort. Dans le dédoublement volontaire ou provoqué, le corps bioplasmique est expulsé du corps physique, restant en communication avec lui par l'intermédiaire d'un rayon fluidique généralement appelé « cordon d'argent » qui reste en relation constante avec le corps physique ; dans le phénomène de la mort, le manque d'énergie du corps physique ne permet plus de fournir ce fameux « cordon ». Ce lien fluidique, semi-matériel, peut être comparé au fil sécrété par l'araignée, que celle-ci peut étirer à son gré, jusqu'à une distance assez considérable. La seule différence est que le « cordon » fluidique fournie par le corps physique de l'homme, se présente sous une forme bioplasmique pouvant se prolonger indéfiniment sans pouvoir être rompu, par quelque obstacle que ce soit.

Donc, cette sensation de mort peut, dans les débuts, provoquer une vive émotion, avec accélération importante du rythme cardiaque, et les conséquences que cela peut compor-

92

ter. La peur peut également provoquer des troubles rénaux, hépatiques, et bien d'autres. Aussi, même si l'état psychique du sujet semble parfait, il faut avancer avec prudence par étapes successives.

2) Le corps bioplasmique, très contractable, est également extensible.

Cette faculté que possède l'être humain en état de dédoublement peut également réserver bien des surprises. Exemple :

Ce qui est arrivé à Monsieur F...

(Je dois préciser qu'il ne s'agit pas là d'une sortie hors du corps sous hypnose ; mais, à l'état de veille, Monsieur F... agissait par lui-même.)

Afin d'entrer à l'intérieur d'un tube de verre de deux centimètres cubes opacifié par un rouleau de papier, j'avais demandé à monsieur F... de « comprimer » son double progressivement, de se faire de plus en plus petit, de façon à ce qu'il puisse s'introduire à l'intérieur du tube en question, ce qui fut fait. Monsieur F... se trouva alors à l'intérieur du tube, et put constater qu'il se trouvait dans un grand tunnel de verre dans lequel il voyait comme en plein jour, bien que l'intérieur de ce tube fût dans l'obscurité ; puis il s'aperçut que ce grand tunnel contenait d'énormes cristaux blanchâtres sur lesquels il marchait. Il s'agissait de sel marin, provenant de la mer morte. L'exploration terminée, Monsieur F... quitta l'intérieur du tube pour réintégrer son corps physique. C'est alors que les ennuis commencèrent.

En effet, son visage laissait apparaître des signes d'inquiétude.

« Je me sens tout petit », disait-il.

« Que m'arrive-t-il ?... » Je vois les choses normalement, cependant je ne suis pas dans un état normal... »

En l'observant, je m'aperçus que son corps bioplasmique restait en partie contracté, et je dus lui faire exécuter un exercice inverse, pour mettre fin à ses inquiétudes grandissantes.

Cet exercice consistait à augmenter exagérément le volume

de son corps bioplasmique, afin de voir le monde extérieur plus petit qu'il n'est normalement.

Enfin, après quelques émotions, tout rentra dans l'ordre après quelques jours.

Les personnes non informées s'imaginent assez difficilement qu'un corps bioplasmique puisse se comprimer à tel point qu'il entre dans un petit tube de verre d'un ou de quelques centimètres cube.

Je vais tenter d'en donner l'explication.

L'homme est constitué d'une quantité considérable de molécules, qui gravitent à une vitesse ineffable. Ces molécules, fortement imbriquées les unes dans les autres, donnent l'apparence d'une masse opaque et solide.

Si nous prenons, par exemple, quelques-uns des atomes entrant dans la composition du corps humain, nous pouvons observer ceci :

Sans entrer dans les détails, tous les atomes dont la matière est faite, sont résolubles en deux sortes de grains d'électricité (protons et électrons). La masse est localisée au centre du système, dans le noyau de l'atome. Je n'ai pas l'intention de faire ici un cours de chimie, ni de physique, mais simplement de donner une idée aux lecteurs, qui n'auraient pas eu une formation susceptible de les aider à comprendre le phénomène relatif principalement à la compression du corps bioplasmique.

Pour simplifier au maximum la compréhension, étudions ensemble l'un des atomes entrant dans la composition du corps humain, l'atome le plus simple, celui de l'hydrogène. Voici ce que l'on constate :

La trajectoire représentée sur cette carte a un rayon (1) 2 millions de milliards de fois plus grand que celui de la circonférence décrite par un électron (ici gros comme un tonneau) autour du noyau (ici comme une tête d'épingle).

(1) *La Chimie au laboratoire et à l'usine, dans la nature et dans la vie,* par Marcel Boll, Librairie Larousse, 1935.

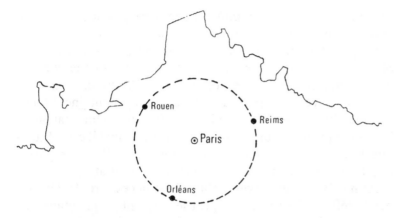

602 300 milliards de milliards d'atomes d'hydrogène pèsent 1,00777 g ; donc 602 300 milliards de milliards d'électrons pèsent 0,0005485 g.

Si l'on pouvait comprimer tous les atomes du corps humain, c'est-à-dire coller les uns contre les autres les électrons et les protons qui les constituent, il y aurait alors abstraction de l'énorme vide qui se trouve entre ces particules, si bien représenté par le dessin précédent, imaginé par le professeur Marcel Boll, et le corps physique d'un homme de taille moyenne ne mesurerait qu'environ un centimètre cube ; le corps bioplasmique étant un corps semi-matériel de plus ou moins vingt grammes, dont les molécules sont infiniment plus espacées que celles d'un gaz, le résultat obtenu, à la suite d'une telle compression, serait, pour ainsi dire, invisible à l'œil de chair ; à vous de juger.

Risques d'agressions du corps physique et risques d'attaque du double, durant les états de dédoublement

Le corps physique étant une forteresse qu'habitent le corps bioplasmique et l'âme, peut, durant l'absence de ceux-ci, être pris d'assaut et occupé par le corps astral et l'esprit d'un défunt, ou d'un vivant mal intentionné, en état de dédoublement. La conséquence qui en résulte est, en quelque sorte, un cas de possession. Et quand le « voyageur » imprudent

95

revient, il ne peut plus réintégrer son corps physique ; alors, se déroule un véritable combat entre le propriétaire du corps physique et l'intrus. C'est à ce moment précis que le corps physique, disputé entre deux antagonistes, perd le contrôle de ses commandes, et entre le plus souvent dans un état convulsif, avec des périodes de comportement incohérent, comme s'il y avait deux capitaines dans un même bateau. Il faut alors pratiquer un exorcisme, durant lequel il est fréquent que l'agresseur, lui aussi, appelle de l'aide. Il arrive parfois que l'exorciste trouve la mort durant le combat.

Afin d'éviter cette éventualité, il est nécessaire de développer le réflexe des sensations, car le corps physique étant dans un état d'abandon, dans le cas d'une sortie hors du corps, lorsqu'il se sent menacé, fait un appel désespéré à son seigneur et maître qu'est l'âme, partie en voyage avec son corps bioplasmique qui représente, en quelque sorte, le corps combattant. Cet appel de détresse s'effectue, dans ces circonstances, par l'intermédiaire du « cordon d'argent » qui transmet le message, donnant à l'âme une sensation de grande inquiétude qu'il ne faut pas négliger.

Dès la moindre sensation perturbante, il est urgent de réintégrer immédiatement son corps physique.

Le danger est que les débutants, étant déjà dès la sortie de leur corps physique très perturbés, ne distinguent pas toujours la différence entre leurs propres sensations et celles que leur transmet leur corps physique. Il est donc prudent, dans les débuts, de ne pas s'éloigner du corps physique afin de faire la distinction entre les diverses sortes de sensations.

Le problème ne se pose plus par la suite, car l'âme n'est plus troublée par sa « nouvelle » possibilité.

VIII

CE QUE JE FAIS, MES ÉLÈVES LE FONT

Les voyages dans la matière sont possibles lorsque la motivation et l'ambiance sont agréables.

La première expérience d'incorporation dans laquelle j'ai guidé les « pas » de Mme Liliane Sauvran se déroula de la façon suivante : à la suite de quelques cours, nécessaires à la bonne compréhension de l'exercice d'incorporation, je lui proposai, comme je le fis aux autres élèves, de contracter au maximum son corps bioplasmique, par l'action de sa volonté, et lui présentai un petit flacon de verre opacifié par plusieurs couches de papier coloré.

Mme Liliane Sauvran ignorait totalement ce que contenait l'objet que je lui présentais. Puis je lui demandai de « plonger » à l'intérieur de cet objet. C'était là quelque chose de nouveau pour elle, et je suivais attentivement ce qu'elle faisait, afin de l'aider.

Mme Liliane Sauvran entra très facilement dans l'objet et se sentit s'engluer dans une pâte visqueuse ; elle transmettait, par l'intermédiaire de son corps physique, l'impression que lui donnait ce premier et mystérieux voyage.

« Je me sens comme engluée dans une matière très visqueuse... Ce n'est pas très agréable... Je glisse lentement... Je glisse lentement entre de grosses masses brun-marron assez claires, et d'autres, sirupeuses et transparentes. »

97

Résultat :

Il s'agissait d'un flacon empli de compote de pomme. Puis Mme Liliane Sauvran sortit de ce magma pour réintégrer son corps physique.

Lors d'un cours sur la psychopathotactie, je fis circuler, entre les mains de mes élèves, une petite barre métallique de quelques centimètres de long, sur un centimètre de diamètre, provenant d'une salle de torture. Les résultats de l'ensemble du groupe d'élèves furent assez satisfaisants. Mme Liliane Sauvran décrivait correctement l'intérieur de la salle de torture, avec les instruments, et certaines scènes qui s'y étaient déroulées.

Mme Lola Arvay, qui obtient aussi de très bons résultats, a été la première de mes élèves à réussir un voyage au sein de la matière, au niveau atomique et subatomique. Dans ce domaine, elle me suit, et je pense qu'elle pourra continuer ses explorations, tout comme je le fais, dans ce monde merveilleux.

Mme Suzanne Sauvran possède aussi des facultés psychopathotactiques notoires.

Ayant remis à Mme Suzanne Sauvran un petit fragment de bois, ayant été prélevé sur la porte originale de la pièce dans laquelle fut enfermée Marie-Antoinette, avant son exécution capitale, Mme Suzanne Sauvran, sans qu'elle eût connaissance de l'origine de ce contact, « revécut » les derniers moments de la captive, en donnant des détails très précis.

Un autre de mes élèves, M. O. au cours d'une expérience d'incorporation dans une boîte de cigarettes, placée dans des conditions faisant barrage à toute suggestion, décrivit ses observations en ces termes :

« Je me trouve à l'intérieur d'un grand cylindre blanc et je marche sur d'énormes fibres brunes... J'arrive maintenant dans une masse blanche, qui, comme les fibres brunes, emplit le cylindre blanc dans lequel je me trouve. »

M. O. explorait l'intérieur d'une cigarette à bout filtre.

Le 16 août 1980.

98

IX

LA VISION SUSCITÉE

La vision suscitée consiste à faire apparaître dans l'espace une forme qui, matériellement, n'existe pas. (Par exemple, faire apparaître à la vue de tous, un animal, un véhicule, un paysage, ou toutes autres choses) de telle façon que cela soit pris pour une réalité.

La vision suscitée peut être doublée d'un phénomène auditif également suscité.

La méthode utilisée consiste à focaliser son regard, et toute son attention sur un point quelconque de l'espace, et d'y créer mentalement la forme ou le paysage à obtenir.

Le début de l'entraînement consiste à envoyer cette forme, en utilisant la méthode télépathique.

La différence d'analogie avec la télépathie réside en ce que la focalisation de l'agent émetteur se situe dans l'espace, et non sur un percipient (récepteur).

Plus l'objet suscité paraît réel à l'agent, plus il est susceptible d'être perçu par les observateurs.

Lorsque une ou plusieurs personnes sensitives se trouvent sur le lieu de l'expérimentation, les sensitifs, en fixant leur attention sur l'apparition du phénomène, en augmentent inconsciemment la concrétisation. C'est le cas des « Fakirs » qui grimpent le long d'une corde accrochée dans le vide qui se dissout ensuite, comme par enchantement.

J'ai eu plusieurs fois l'occasion de créer des visions suscitées, les résultats ont été les suivants :

Je m'imaginais créer une volumineuse lettre A, de couleur argent, que je plaçais debout dans la salle de cours. Après l'avoir mentalement « concrétisée » (environ une minute), je demandais à mes élèves de me dire ce qu'ils verraient apparaître dans la salle.

Les perceptions positives furent de 25 %. Les élèves dirent ce qu'ils virent. Alors, la suggestion collective augmenta le résultat de 40 %. Dans ces conditions, la perception totale fut de 65 %. Les 35 % qui ne virent rien, furent très déçus.

Ce genre d'expérience a été plusieurs fois répété, en suscitant dans l'espace, la vision d'objets ou de paysages.

Dans les meilleurs des cas, les résultats ne dépassèrent pas plus de 50 à 70 %.

Je pense que, si le temps le permettait, une personne continuellement entraînée pourrait obtenir des résultats surprenants.

X

EFFET FANTOMATIQUE

Cette expérience a été relatée le vendredi 7 juillet 1978 à 20 heures sur France-Inter, dans l'émission d'Henri Gougaud et Jacques Pradel, « Ici l'Ombre », en présence de Mme Anne-Marie Goetzinger (auteur du livre, *l'Escapade*).

Depuis plus d'un an, Mme Goetzinger me réclamait une expérience objective de dédoublement, avec apparition, comme je l'avais déjà plusieurs fois réalisé, loin de mon domicile, et qui furent vérifiées par des observateurs, ignorant le but de l'expérience organisée à leur intention. (Voir *Pouvoirs étranges d'un clairvoyant*, Tchou.)

Afin de me libérer de cette demande incessante, je décidais donc de réaliser de nouveau ce type d'expérience, à titre d'étude personnelle. Je n'aime pas perdre mon temps inutilement ; mon intention fut alors de réaliser ce phénomène, de façon différente de celles effectuées jusqu'à ce jour. Comme pour toute nouvelle expérience, je m'étais entraîné longuement afin de produire ce nouveau type de phénomène, qui consistait à apparaître sous la forme d'une vive lumière.

C'est à la suite de plusieurs essais réalisés avec des sujets non avertis, que je me suis rendu compte qu'il m'était possible, avec une forte volition, de produire cet effet assez remarquable.

Donc, cette certitude étant acquise, j'annonçai à Mme Goetzinger, que j'étais disposé à réaliser, la semaine qui allait suivre, l'expérience de dédoublement durant laquelle

101

elle me verrait apparaître dans la nuit, sans lui signaler ni le jour ni l'heure, afin d'éviter toute suggestion.

Résultat de cette expérience :

L'expérience eut lieu le vendredi 14 avril 1978, à 22 h 10. A cette heure calme de la nuit, je ne risquais pas d'être dérangé par un éventuel coup de téléphone, ou par une visite imprévue.

M'étant assis dans le fauteuil en rotin de la salle où je travaille, je concentrais ma volonté sur le lieu où je voulais me rendre, c'est-à-dire au domicile de Mme Goetzinger. Comme à chaque expérience de ce type, une sensation de chute m'envahit, et je me trouvais plongé dans une obscurité totale. Je me sentis sortir de mon corps physique, avec un bruissement soyeux. J'eus l'impression (toujours la même en ces circonstances), de me diriger vers un point lumineux, qui grandissait progressivement, comme si je sortais d'un tunnel. Je ressentis ensuite cette sorte de « décompression » habituelle, ainsi qu'une ineffable légèreté, me trouvant au même instant au domicile de Mme Goetzinger. Je traversais la porte d'entrée, et m'engageais dans le couloir. Le calme régnait dans la maison, toute la petite famille se trouvait au lit. M'étant imprégné de la porte de la chambre, dans laquelle se trouvait Mme Goetzinger, je concentrais toute mon énergie, afin de provoquer l'effet souhaité.

Le résultat de cette expérience a été le suivant :

Question posée par Mme Goetzinger :

« *Est-ce que l'expérience a eu lieu à 22 h 10 ?* »
Réponse : c'est exact.
Mme G. — *Bien, je vais vous dire quelque chose de formidable ; je me suis couchée vers 22 heures, et j'étais dans ma chambre, mon mari dormait, puis j'ai fermé les yeux, et, bien qu'ils fussent fermés, ainsi que la porte de ma chambre, il y a eu comme un éclair, une grande clarté blanche s'est produite. Cela a été très court, quelques secondes — ce fut comme un*

éclair dans l'entrée, qui aurait traversé la porte, une vive lumière blanche.

R. — L'expérience a réussi, alors ?

Mme G. — *Oh ! écoutez, c'est formidable, mais alors, ce qui va vous étonner, c'est que ma fille, le lendemain matin, à peine réveillée, est venue me voir et m'a dit, « Maman, hier soir, j'avais les yeux fermés, etc. » et elle a vu également ce phénomène, cela passait par sa porte aussi.*

R. — Ce n'était pourtant pas la même porte ?

Mme G. — *Non, nous avons notre chambre l'une à côté de l'autre.*

R. — Alors ce n'était pas une illusion, car elle n'était pas au courant de l'expérience ?

Mme G. — *Oh ! non... Mon mari dormait d'un profond sommeil, il n'a rien vu du tout. Ma fille a supposé au début, qu'il s'agissait d'un orage mais, de toute façon, d'abord, il n'y avait pas d'orage. Au bout de notre couloir qui est très clair, il y a juste un tout petit carreau dépoli en haut de la porte d'entrée, et même si quelqu'un était venu derrière cette porte, avec une torche électrique, cela n'aurait pas fait le même effet, et mon regard n'aurait pu traverser une porte fermée et opaque. Cette porte est totalement en bois. C'était extrêmement violent comme lumière.*

R. — Oui, ce rayonnement intense se produit, lorsque le double et l'esprit vibrent avec une telle intensité lumineuse que les contours de cet ensemble ne peuvent être perçus.

Mme G. — *Oui, je comprends... non seulement ce phénomène fut visible à travers la porte, mais j'avais les yeux fermés. Je voulais en avoir le cœur net, mais je savais qu'il s'agissait tout de même d'une lumière que je n'avais jamais vue, cela ne me parut pas normal... Avez-vous vu quelque chose ?*

R. — Je vous ai vue me regarder.

Mme G. — *Mais avez-vous cherché dans la maison ? Ou êtes-vous venu directement sur le lieu ?*

R. — En état de dédoublement, l'on ne cherche pas.

Mme G. — *C'est direct ?*

R. — Oui, lorsque l'on désire se rendre sur un lieu, ou près d'une personne, alors l'on s'y trouve transporté, projeté...

Mme G. — *En somme, une personne en état de dédoublement ne cherche pas son chemin, elle n'a pas besoin de flèches ? Elle est comme aimantée.*

R. — C'est cela... Je ne m'attendais pas à ce que votre fille, de l'autre côté, ait pu voir cette clarté. Je ne la pensais pas assez vive pour être perçue par votre fille, dans la chambre à côté.

Mme G. — *Ma fille entrouvre la porte de sa chambre.*

R. — Alors, elle a pu me voir...

Mme G. — *Oui, mais la porte de ma chambre, elle, était fermée.*

R. — Votre porte s'est illuminée entièrement des deux côtés ?

Mme G. — *Voilà, c'est cela, d'un seul coup, j'avais l'impression que cela venait du couloir, ça irradiait également sous la porte.*

R. — Avez-vous eu peur ?

Mme G. — *Non, absolument pas.*

R. — Mais enfin, il valait mieux être prévenu de l'expérience ?

Mme G. — *Oui, mais je ne savais pas du tout si vous la feriez effectivement, ni l'heure ni le jour où elle serait réalisée, et j'ignorais que ce serait de la lumière.*

R. — Je ne vous l'avais pas signalé car lorsque l'on prévient la personne visée, l'idée peut parfois être « créatrice ». Donc cette expérience a été effectuée dans de bonnes conditions, d'autant plus que votre fille n'était pas au courant.

Mme G. — *Absolument, et alors, comme elle a vu, il y a peu de temps, le film, « Rencontre du troisième type », et qu'elle est passionnée pour les O.V.N.I., et ce genre de choses, elle m'a dit, « Tu ne crois pas que ce serait cela ? »*

R. — Oui, évidemment, elle a fait tout de suite la différence entre une lumière produite par un système électrique, et celle qui a été émise par l'apparition phénoménale, qui est toute différente n'est-ce pas ?

Mme G. — *Oh oui! cela fait un peu comme le flash d'un appareil photographique, c'est aussi violent et c'est blanc.*

R. — Combien de temps avez-vous perçu cette lumière?

Mme G. — *Quelques secondes, un éclair est bien plus rapide... Le phénomène produit a été plus durable qu'un éclair... disons quelques secondes... etc.*

MON PREMIER CONTACT AVEC LA VOYANCE

C'est avec ma grand-mère maternelle que j'ai pris mes premiers contacts avec la voyance.

Grand-maman, qui était d'une bonté extrême, pratiquait la voyance depuis l'âge de vingt ans. Elle me disait avoir appris cette pratique à Lille, dans une école privée, spécialisée dans cette discipline. Sa méthode était la voyance directe, mais elle utilisait également la cartomancie, ce qui lui permettait, en cas de défaillance psychique, de satisfaire ses clients, lorsque ceux-ci ne pouvaient pas revenir pour la consulter dans de meilleurs moments, car elle n'hésitait pas à renvoyer les gens, lorsqu'elle n'était pas en état psychique favorable.

Elle aimait, lorsque je lui rendais visite, ce qui était très fréquent, que je m'assoie à côté d'elle durant ses consultations. C'est dans ces conditions qu'elle m'apprit l'art de prédire l'avenir. Elle pratiquait uniquement l'avenir et le présent. Le reste du chemin de la « connaissance », je l'ai fait seul, comme un pèlerin dans le désert. Ce sont les fruits de ce long chemin que j'apporte à mes élèves, afin de leurs éviter ce long voyage plein d'embûches, et pour ne pas, égoïstement, lorsque le moment sera venu, enfermer dans ma tombe mes longues années d'études et de recherches.

Nombreux sont ceux, qui, comme des aveugles suivent ce chemin sans se rendre compte des dangers qu'ils encourent, seuls ou dans certaines sectes.

L'histoire des visionnaires est jonchée de crânes, soyez sur vos gardes !

Le terme voyance englobe généralement toutes les formes de possibilités permettant de prédire l'avenir, ou de donner des informations à l'aide de méthodes non rationnelles, telles que les mancies.

Les mancies sont divers procédés pouvant susciter la mise en œuvre de certaines facultés dites « paranormales », le plus souvent précognitives, telles que la cartomancie, la chiromancie, la radiesthésie, la cristalloscopie, etc.

La médiumnité, elle, ne nécessite pas l'usage de « béquilles » ; elle n'utilise comme instrument que le cerveau humain, ce merveilleux appareil encore assez mal connu.

XII

VOYANCE ET DÉDOUBLEMENT

La voyance médiumnique au présent est déjà un dédoublement.

Clairvoyance est le terme utilisé pour désigner la faculté « paranormale » permettant d'accéder à une information, ou à un événement passé, présent ou à venir, mais désigne généralement la forme de voyance au présent, sans l'intervention de la téléphathie.

Cette faculté semble très proche de la télépathie, mais elle se différencie d'elle par le fait que les personnes non initiées ne peuvent, dans bien des cas, savoir s'il existe un transmetteur de l'information.

Dans la clairvoyance médiumnique, le sensitif obtient des résultats, sans avoir nécessairement besoin d'un contact physique, à l'inverse de la psychopathotactie. Une simple concentration déclenche la perception dite « paranormale ».

C'est au cours d'une expérience de longue durée, que j'ai pris conscience de ma faculté de dédoublement de mon corps bioplasmique. Il faut dire que les deux phénomènes sont assez identiques pour moi.

Les conditions physiques et psychiques sont sensiblement les mêmes. La seule différence, en ce qui me concerne, dans le dédoublement du corps bioplasmique, tient au fait que je sens, dans le cas d'une sortie hors du corps, mon « double » réintégrer mon corps physique.

A la suite de mes observations sur le dédoublement du

corps bioplasmique, j'ai pu constater qu'il se présentait sous la forme d'une brume légère, de teinte gris bleuâtre, fluctuant à une vitesse inouïe, que des particules très petites s'agitaient parmi des molécules complexes, très écartées. J'ai pu également observer la présence d'hydrogène, de carbone, d'oxygène, de phosphore, et d'azote.

La forme générale de ce corps est semblable à celle du corps physique, mais est très modelable, c'est-à-dire, qu'elle est susceptible de changer selon le désir de son propriétaire.

LES ERREURS

L'interprétation d'un résultat de clairvoyance peut être vicié lorsque, durant une clairvoyance, une personne intervient par des questions ou des réflexions exprimées, dont la teneur fait jaillir dans la représentation mentale du sensitif, des images hallucinantes qui ne font que l'effet d'une suggestion verbale, mais qu'il peut prendre pour la réponse de sa clairvoyance, ou lorsque le sensitif ajoute à ses observations médiumniques des déductions qu'il croit logiques. Des erreurs peuvent également se produire lorsque le sensitif conserve un certain temps dans sa mémoire ses informations médiumniques avant de les décrire.

On vicie la clairvoyance d'un sensitif en lui demandant ce dont il est capable, mais dans des conditions où il ne l'est plus. (1)

Il est à noter que, dans de nombreux cas, un sensitif n'obtient pas d'information paragnostique, si le sujet soumis à la clairvoyance n'est pas motivant ou si le sensitif est fatigué physiquement ou psychiquement, mais aussi lorsque son esprit est perturbé par un surcroît de travail intellectuel ou par diverses autres raisons.

J'ai, durant plusieurs années, utilisé la voyance pour la

(1) *Traité de Métapsychique* du Professeur Charles Richet, Librairie Félix Alcan, 1923.

recherche de personnes disparues (*Cf les pouvoirs étranges d'un Clairvoyant,* Tchou.) Selon les statistiques, les résultats semblaient assez positifs, puisqu'ils ont été de l'ordre de 80 %.

Cette réussite attira de nombreuses demandes, avec toutes les responsabilités psychologiques qui s'ensuivent. Je décidais en 1978 de suspendre ce genre d'activité qui me procurait bien des tourments, surtout par la lenteur d'exécution des contrôles que je demandais à certains organismes.

A l'heure à laquelle je trace ces lignes, me parviennent encore, et autant que vous pouvez en juger avec beaucoup de retard, des résultats positifs, qu'une pauvre maman aurait pu obtenir cela fait plus de trois ans (1). Je reprendrai certainement cette sorte de recherches lorsque je serai à la retraite, ou dans les années à venir, selon que j'aurai terminé les études parapsychologiques actuelles, qui mobilisent tout mon temps.

Monsieur,

J'étais venue vous rendre visite en janvier 1977, sur les conseils d'un ami, pour vous demander de retrouver la trace de ma petite fille et de son père, celui-ci l'ayant enlevée pour ne pas se conformer à la loi, qui m'avait confié sa garde, sans aucune hésitation.

Je vous remets sous ce pli, afin que vous puissiez mieux vous souvenir, les renseignements que vous m'aviez communiqués à chacun de nos appels téléphoniques.

La police n'avait pu, à l'époque retrouver le fugitif, mais maintenant j'ai la preuve que vous aviez vu juste. Vous m'aviez manifesté tant de gentillesse et j'ai gardé un si bon souvenir de votre accueil que je me dois de vous informer ce qui, je pense, est important pour vous au point de vue professionnel.

J'aimerais vous rencontrer pour vous conter le déroulement des événements depuis 1977, qui ont même fait et font encore l'objet d'émissions télévisées et articles de presse... En

(1) *Le 4 octobre 1980.*

111

espérant bientôt de vos nouvelles, recevez, Monsieur, l'expression de mes sentiments distingués.

Pli contenant les informations en question :

Ma visite du samedi 22 janvier 1977 pour étude et recherche de ma fille et son père.
Ci-dessous, renseignements donnés par M. Raymond Réant, suite à ses études :

Le 22 janvier 1977.

Votre mari, en pull beige, col roulé, dans une salle avec un homme et une femme âgés, dans une pauvre salle, genre ferme, votre petite fille se trouve là, en robe-blouse avec des motifs géométriques... Elle ne paraît pas malheureuse.

Le 23 janvier 1977.

A 11 heures : Votre fille monte un escalier en bois à l'intérieur de la maison, entre dans une pièce, genre salon, son père est en train de boire. L'enfant prend un livre avec une couverture brillante, genre livre d'enfant. Par la fenêtre, je vois des montagnes couvertes de neige, le père lit un journal.
Situation ; d'après la carte Michelin n° 77.
(Je ne reproduis pas ici la situation qui s'avéra exacte, contrôlable avec les dossiers que je possède, par discrétion.)

Le 24 janvier 1977.

Ils sont encore dans la maison, genre fermette, au lieu précédemment situé. Ces deux personnes âgées et en plus un petit garçon blond, d'environ six ans... le père est absent.

Le 11 février 1977.

Votre petite fille et son père sont toujours au même endroit, en ce moment ils partent dans une voiture noire, le garage faisant partie de la maison. Le père est habillé d'un blouson simili, jaune bois, pantalon foncé. Le père va chercher le journal à pied tous les jours.

Le 4 mars 1977.

Le père fait le maçon, il coule du ciment et travaille à l'intérieur d'une grange, pas loin de la maison située le 23 janvier. Habitude inchangée pour acheter le journal. A toujours sa voiture. La petite fille ne va toujours pas à l'école.

Le 14 mars 1977.

Le père fait toujours du ciment. (M. Réant pense que l'affaire n'intéresse pas les gendarmes ; sinon, mon ex-mari serait déjà retrouvé.)

Le 1ᵉʳ avril 1977.

Toujours au même endroit. Votre ex-mari ne bouge pas — travaux de maçonnerie terminés pour le moment... aucun travail suivi.

Le 16 avril 1977.

Selon les observations de M. Réant, mon ex-mari travaille dans un restaurant, peut-être chez un routier, près de la route nationale, aide à la cuisine, et le soir au rangement... n'a pas de contact avec la clientèle... La petite fille est en bonne santé.

Le 26 mai 1977.

Toujours au restaurant, que j'ai situé.

Le 4 juin 1977.

Toujours au même endroit.

Le 25 juin 1977.

Toujours au même endroit.

Le 17 août 1977.

Toujours au même endroit.

Le 10 septembre 1977.

Toujours au même endroit.

Le 21 septembre 1977.

Votre petite fille semble être à l'école.

Le 29 septembre 1977.

Rien de nouveau, le père couche toujours dans la même chambre que sa petite fille, dans les mêmes conditions.

Le 18 octobre 1980, la maman qui m'avait demandé un rendez-vous m'apporta les preuves de l'exactitude de cette étude et les documents de presse très significatifs.

XIV

LA CLAIRAUDIENCE

Lors de mes recherches psychopathotactiques sur les civilisations atlantéennes, j'ai découvert que les messages étaient enregistrés, à l'époque, dans des cubes de cristal, d'environ un centimètre cube, et déchiffrés par simple contact tactile. Il s'agissait donc là de psychopathotactie uniquement auditive. N'ayant pas de petits tubes de cristal, je fis moi-même quelques expériences, en utilisant des petites plaques d'acétate de polyvinyl, qui donnèrent des résultats assez appréciables. Je m'aperçus, par la suite, que comme la psychopathotactie « visuelle », la psychopathotactie « auditive » pouvait être effectuée avec n'importe quel support.

Voici quelques-uns des résultats obtenus, avec mon groupe d'étudiants en parapsychologie appliquée.

L'exercice consistait à reproduire cet effet, à l'aide de rectangles en acétate de polyvinyl, de dimensions différentes, afin de distinguer les divers enregistrements que j'avais préparés.

En posant les contacts enregistrés, sur le front, entre les yeux, ou contre son oreille, l'élève devait discerner les sons.

Premier rectangle :

Enregistrement des « trompettes » d'Aïda, de Verdi

Réponse de Madame C. :

« Concerto pour trompettes de Haydn. » A noter, l'identité des instruments et la similitude de consonance entre « Aïda », et « Haydn ».

Comme je le fis dans mes débuts de décryptage dans les enveloppes fermées, en psychopathotactie, relaté dans l'*International of Paraphysic,* Vol. 9, n° 3 (U.S.A.) avec le docteur W. 12/2/1975 et dans le compte rendu 4 juillet 1975 du *Second international congress on psychotronic research,* Monte-Carlo (Figure A.)

Deuxième rectangle :

Enregistrement de la fable de La Fontaine, « Le Corbeau et le Renard », récitée par ma petite-fille Aurore.

Réponse de Madame C. :

« Fable de La Fontaine, dite par une voix d'enfant. »

Troisième rectangle :

Enregistrement d'un train, en gare de Villeparisis (S & M).

Réponse de Madame L. :

« Bruit caractéristique d'une décompression d'air. Il s'agit, soit d'un train, soit d'un autocuiseur. »

Quatrième rectangle :

Enregistrement rythmique des chiffres de 1 à 20.

Réponse de Madame M. G. :

« J'entends quelque chose de rythmé ! »

La méthode d'entraînement consiste à distraire l'ouïe, en mettant une main sur chaque oreille, de telle façon que les cinq doigts réunis forment avec la paume de chaque main une sorte de cuvette, pouvant produire un son comparable au bruit de la mer. Deux gros coquillages (la coquille) ou deux tasses à café peuvent également être utilisés à cet effet.

Les conditions psychiques sont les mêmes que pour la

psychopathotactie (se mettre en état d'attente). A la suite d'un entraînement plus ou moins long, la perception apparaît, d'abord de façon confuse, puis, par la suite, assez clairement.

Lorsque le sujet est bien entraîné, il peut se passer de se mettre en condition avec le « bruit de la mer ».

Bien souvent, cette aptitude se déclenche automatiquement au cours d'un exercice de psychopathotactie, ou de télépathie. C'est pour cette raison que les psychopathotacticiens et les clairvoyants reçoivent, la plupart du temps, le son et l'image.

Comme on peut le constater sur cette table, la crainte de rater une expérience officielle et peu motivante, panique beaucoup le sensitif lorsqu'il en est à ses premiers contrôles. Les temps d'observations qui sont normalement de quelques minutes, ont demandé ici de quelques minutes à plusieurs heures avant que l'information apparaisse.

	Result	Time spent	Target
1	SAL	One hour	"VLAS" (Czech for "hair")
2	NOUBA	One hour	"NYUMBA" (Swahili for "house")
3	BOUD../DON../DONDURMA	Three hours	"DONDURMA" (Turkish for "ice-cream")
4	CROBO	Fifteen minutes	"CЛOBO" (Russian for "word")
5	NIEPODLGTY	Seven hours	"NIEPODLEGLY" (Polish for "independent")
6	PIPPURI	Seven hours	"PIPPURI" (Finnish for "pepper")
7	head of a bull kind of chair saucepan spiral	One hour	γλυκόϛ (Greek for "sweet")
8	a Swiss flag on a bayonet $\sqrt{6} + 4$	Three hours	男の人 (Japanese for "man") (Note: ideogram viewed upside down and sideways)
9	Chinese junk with sail Wooden crate with chinese inscriptions	Fifteen minutes	米国 (Chinese for "USA")

118

TOWARDS THE APPLICATION OF PARAGNOSTIC
INFORMATION RETRIEVAL TO LINGUISTICS

Zbigniew William WOLKOWSKI, D. Sc.

Institut de Parapnysique
B.P. 56, 75623 Paris Cedex 13, France.

The possibility of deciphering a forgotten language of the past
through an intuitive approach with the help of a gifted psychic
has encouraged us to do preliminary testing in that direction.

It is well known that not all psychics are at ease with foreign
ideograms, therefore a set of sealed opaque envelopes containing
a word in a foreign living language was presented to Raymond REANT,
a French sensitive (Table 1).

After the successful termination of this preliminary series, the next
step consists of presenting a text written by a native in a living
language unknown to the psychic, and ultimately studying in this manner
a text of a forgotten, unknown language or archeological record.

The hypothesis obtained as to the meaning "recorded" in the support
would serve as a genuine guide towards deciphering the languages
of the past, a psychic "Rosetta stone".

Work along these lines is in progress and shall be reported in detail.

119

XV

PEUT-ON VOIR L'AVENIR?

PRÉCONNAISSANCE, OU VOYANCE DANS L'AVENIR

La précognition, également appelée préconnaissance, est la perception « paranormale » d'un événement futur, que personne ne peut connaître à l'avance.

Il faut être très prudent pour ce qui concerne les perceptions d'information dans le futur.

La précognition est un mélange assez complexe de psychologie inconsciente, de télépathie, et d'un troisième élément encore mal défini.

La télépathie, qu'on le veuille ou non, s'immisce dans la précognition, entre le voyant et le sujet, captant le désir conscient ou inconscient de ce dernier ; elle peut entraîner des erreurs engendrées par une tierce personne qui formule des projets d'avenir concernant le sujet, elle peut alors brouiller les pistes et parasiter la clairvoyance. Cette intrusion de la télépathie dans la précognition provoque environ 10 % d'erreurs (1).

La précognition n'est donc pas une certitude, mais une probabilité.

Plus environ 10 % d'erreurs dues à des émissions télépathiques, de projets ou de désirs extériorisés par le sujet ou de son entourage.

(1) *Pouvoirs étranges d'un clairvoyant* (Tchou).

120

Plus environ 5 % d'erreurs dont les causes restent inconnues.

Les divers procédés susceptibles de mettre en œuvre certaines facultés de précognition sont appelés mancies.

La cartomancie est la technique la plus utilisée. Elle met en œuvre une certaine forme de radiesthésie, par un code de distribution et de lecture assez complexe, qui déclenche, en certains sensitifs, des phénomènes extrasensoriels de perception, avec tout le cortège de réussites et d'erreurs précédemment analysé.

Je n'utilise guère la cartomancie que j'ai cependant bien étudiée, et qui, je l'avoue, donne de très bons résultats.

La personne qui veut devenir maître de ses pouvoirs psychiques doit, au maximum, ne se servir que des moyens que lui procure son propre psychisme, en évitant d'utiliser pour déclencher ses facultés, des instruments, produits, objets de repérages étant destinés à « mettre en condition », sauf par nécessité impérieuse, lorsque les facultés psychiques ne semblent pas prédisposées.

Ordinairement l'on n'apprend pas à un bébé à marcher avec des béquilles, et l'on ne se sert de béquilles que lorsque l'on ne peut faire autrement, pour des raisons passagères, ou définitives. Il en est de même pour la culture psychique.

PROCESSUS POUR PROVOQUER LE PHÉNOMÈNE VOLONTAIRE DE PRÉCOGNITION

Pour la précognition, le déclenchement du réflexe psychique reste sensiblement le même que pour la rétrocognition. La seule différence réside en ce que la focalisation du désir exprimé se situe dans le futur.

Il est à noter que le phénomène de précognition, comme ceux de télépathie et de clairvoyance, peut aussi présenter des manifestations spontanées.

La cristallographie, également souvent utilisée, est la divination qui consiste à utiliser une surface réfléchissante, telle que la boule de cristal, ou un verre empli d'eau.

Le procédé consiste à placer la boule de cristal, ou le verre d'eau, de façon à ce que sa teinte soit uniforme, qu'aucun reflet d'objets, ou autres, ne paraissent en les regardant. Pour cela, on peut entourer la boule, ou le verre, avec les deux mains, puis fixer le regard à l'intérieur de la boule ou du verre, en évitant de fermer les paupières. Au bout de quelques instants, la transparence se voile, semble devenir laiteuse, puis ce trouble disparaît. Des couleurs et des dessins assez confus se succèdent, pour laisser place, presque aussitôt, à la « vision ». Si la vision de l'opérateur s'obscurcit, l'une des personnes présente doit poser le bout des doigts sur le sommet de la tête du sujet, et tout redevient normal. Il faut cependant être très prudent, car, dans certains cas, des troubles de la vue peuvent survenir ; c'est pour cela que je déconseille à un débutant de « travailler » seul.

Cette méthode est, en quelque sorte une forme d'autohypnose.

XVI

ET LA LIBERTÉ ?

On me demande souvent si, en matière de voyance dans le futur, tout est préétabli. Je réponds que tout est préétabli, ici et maintenant, tel que vous êtes, avec votre volonté, mais aussi votre liberté — c'est vous qui l'avez en main, et vous êtes libre d'aller vers ce destin ou de le modifier.

Je vais vous citer un exemple pour étayer cette vérité.

En octobre 1978, une jeune femme était venue me rendre visite, pour une raison qui préoccupe beaucoup de voyageurs en ce moment. Elle craignait que son appartement ne soit cambriolé durant le voyage qu'elle devait faire avec des amis qui l'invitaient, ainsi que son mari et son petit garçon de six ans, à prendre place dans leur voiture. Je lui répondis :

« Je ne perçois pas de cambriolage, mais il serait préférable que vous ne partiez pas avec vos amis, car je vois un accident de voiture dans lequel vos amis, votre mari, et vous même seraient gravement blessés, et votre enfant pourrait y trouver la mort, etc. »

Dix jours plus tard, cette jeune femme me rend à nouveau visite, et me dit :

« J'ai réussi, après beaucoup d'insistance, à convaincre mon mari, de ne pas prendre la route avec nos amis. Nous ne saurions jamais assez vous remercier. Nos amis, qui nous avaient aimablement invité à voyager avec eux, ont eu un grave accident de voiture sur le trajet que nous aurions dû prendre ensemble ce jour-là, etc. »

123

Ce genre d'exemple est loin d'être unique en précognition. Disons que le futur prévu est une tendance très forte qu'a le destin de maintenir dans ses filets notre fragile nature humaine.

Il m'est agréable de constater que certaines de mes observations paragnostiques peuvent, à présent, dans une certaine mesure, être également perçues par quelques-uns de mes élèves. Cela est d'autant plus réjouissant, que dans de nombreux cas, ces observations sont généralement difficilement appréciables car, « scientifiquement », nous ne disposons à l'heure actuelle, d'aucun moyen de vérification. Et je continue à affirmer qu'il est possible à un sujet entraîné, de se transporter dans toutes les périodes de l'humanité, et même bien au-delà.

LES PISTES DE NAZCA

En juin 1974, une journaliste me remit un petit éclat de pierre noire, et me demanda ce qu'il évoquait pour moi.

Je pris cette pierre entre mes mains, et entrepris une « expédition » psychopathotactique.

« Je vois un grand plateau désertique... au loin, des montagnes... à l'opposé une mer ou un Océan est proche. Des sortes de fossés très peu profonds y sont creusés. Ils forment de grandes lignes droites qui se recoupent. Sur ces lignes évoluent des fusées... Les unes descendent du ciel, les autres y remontent... Le plus surprenant est de voir ces appareils, qui n'ont pas de roues, circuler sur ces lignes. Ils volent comme portés par un matelas d'air, à une vingtaine de centimètres de hauteur. Ces fusées ressemblent à des obus, elles n'ont ni ailerons ni appareillage extérieur. Une seule ouverture est visible, sur la face postérieure de l'appareil... Pas très loin de là s'élève une ville, une énorme construction parabolique, ainsi que d'autres constructions. Toutes sont en pierre taillée, et de dimensions gigantesques. Leur architecture est étrange. Voici qu'une fusée s'approche de moi... Elle stationne à quelques mètres, puis s'élève lentement et se dirige directement vers la montagne, dans laquelle elle s'engouffre en pénétrant sous la voûte d'un énorme bâtiment de pierre... Des êtres descendent de la fusée... Ils ressemblent à des hommes de forte corpulence, mais leurs oreilles sont beaucoup plus longues que les nôtres, et l'arrière de leur tête présente d'étranges bosses. Ils portent une sorte de combinaison, mais pas de casque. En descendant de la fusée, ils retirent une ventouse respiratoire qui leur emprisonne le nez et la bouche... Quelques hommes, exactement semblables à nous, circulent parmi eux. Ils sont presque nus, à l'exception d'un pagne qui forme une petite jupe très courte. A leurs poignets, des bracelets... Ils portent aussi des jambières en or... »

Un peu fatigué, je m'arrête. Dans l'assistance, chacun se regarde, se demande à quoi se rapporte cette « Vision ». Mais où ce caillou a-t-il pu être témoin de ces scènes insolites ? D'où vient-il ?

C'est alors que la personne qui avait apporté cette pierre pour l'expérience donne l'explication attendue :

« J'ai ramassé ce caillou il y a quelques années sur le plateau de Nazca, au Pérou. »

Les spécialistes et les amateurs d'anciennes civilisations connaissent le site de Nazca. Sur ce haut plateau des Andes, à quelques kilomètres de la côte du Pacifique, on a, en effet, découvert des traces rectilignes de quelques mètres de large et de plusieurs kilomètres de long, qui s'entrecroisent à l'infini.

Ces pistes de Nazca posent une énigme. On ignore toujours de quoi il s'agit.

Le 13 octobre 1974, un expérimentateur, Docteur ès sciences, me remit une pierre plate, pour effectuer une étude extra-sensorielle. Les résultats très détaillés qui corroboraient la psychopathotactie précédente ont été relatés dans le livre *Pouvoirs étranges d'un clairvoyant*. Cette pierre plate ovale et taillée avec régularité ressemblait à une grosse tranche de pain noir. Elle avait été ramassée au Pérou, sur le plateau de Nazca. Après l'analyse au laboratoire de pétrologie de l'Université Pierre et Marie Curie, on constata qu'il s'agissait d'une pierre volcanique, de constitution classique, mais l'on ne put expliquer la coupe précise de ses côtés.

Le samedi 8, et le lundi 10 novembre 1980, je remis à mes élèves en parapsychologie, quelques décigrammes d'une pierre brune provenant des pistes de Nazca.

Voici les résultats obtenus :

Par 6 élèves : « Surface désertique aboutissant à la mer. »

Par 14 élèves : « Pistes infiniment longues, dans une région désertique, avec de petits remblais caillouteux. »

Par 6 élèves : « Vue d'en haut, pistes en lignes droites, qui s'entrecroisent sur une surface désertique. »

Par 10 élèves : « Pistes avec présence de fusées et sortes de soucoupes volantes. »

Par 3 élèves : « Je me sens m'élever, comme dans un tourbillon, puis je me stabilise... Je suis dans une fusée, et perçois sous moi de longues pistes qui s'entrecroisent sur une grande surface plane. »

Par 2 élèves : « Je vois des hommes aux longues oreilles, qui côtoient d'autres hommes dont les oreilles sont normales — ces derniers sont torse nu, et portent une petite jupette. »

Ce n'est qu'après la séance d'étude que je leur fis connaître l'origine de ces quelques décigrammes de pierre.

Tout cela était parfaitement en accord avec mes propres observations.

Résultats de clairvoyance du samedi 8 et du lundi 10 novembre 1980, par mes élèves

Pour l'expérimentation, j'avais placé sur mon bureau, une boîte en carton de trente centimètres de hauteur, sur vingt-cinq centimètres de largeur, et vingt-cinq centimètres de profondeur, ouverte sur le côté opposé aux élèves, dans laquelle j'avais placé deux petits tambours en matière plastique striée, de couleur blanche, sur lesquels j'avais mis une orange desséchée par magnétisme (couleur brune).

126

Informations données par :

6 élèves : « Une boule brune placée sur un socle blanc. »

3 élèves : « Boule placée sur un socle strié dans le sens de la hauteur. » (Ce qui était exact.)

1 élève : « Une quille. »

1 élève : « Une demi-sphère, au bout d'un cylindre. »

1 élève : « Des lignes verticales. »

XVII

RELAXATION

La relaxation aide à se mettre en état de réceptivité spirituelle. Elle consiste à vous libérer de l'excitation générale de votre corps et de votre sensibilité superficielle, qui mobilisent la presque totalité de vos sens.

De temps à autre, lorsque le moment vous le permet, relachez votre tension nerveuse et musculaire par la relaxation.

La méthode la plus simple est la suivante :

Asseyez-vous sur une chaise (1) ; les jambes doivent rester repliées de façon à ce qu'elles ne subissent aucune contraction, les pieds reposant à plat sur le sol. Placez vos mains sur vos genoux, la main gauche à plat sur le revers, sur le genou gauche, et la droite de même, sur le genou droit, la paume de chaque main étant tournée vers le haut, doit rester ouverte et les doigts parfaitement décontractés. Quelques respirations profondes aident la relaxation.

Lorsque vous êtes bien relaxé, vous pouvez faire quelques exercices de méditation. Voici un exemple :

Pensez aux paroles de Jésus (Evangile de Jean, chapitre 14, versets 12-13-14) :

« En vérité, en vérité, je vous le dis, celui qui croit en moi

(1) Les personnes qui préfèrent utiliser l'accroupissement à la manière de Bouddha peuvent le faire, si leur corps physique y est entraîné, et qu'il puisse y trouver une détente musculaire parfaite. Mais cette position ne favorise pas plus la décontraction que la position précédente.

128

fera aussi les œuvres que je fais, et il en fera de plus grandes parce que je m'en vais au Père ; et tout ce que vous demanderez en mon nom, je le ferai ; afin que le père soit glorifié dans le fils. Si vous demandez quelque chose en mon nom, je le ferai. »

Réfléchissez à ces paroles, en concentrant toute votre attention. Croyez en cette vérité. Essayez de « revivre » ce que Jésus faisait, et pensez aux résultats que vous désirez obtenir. Jésus dit également : « Lorsque vous demandez quelque chose au Père, croyez que vous l'avez reçu, et vous verrez votre demande s'accomplir.

XVIII

LES AURAS

On me demande souvent, comment j'explique la nature des « auras ».

Les auras sont des corps énergétiques produits, en ce qui nous concerne, par le corps humain. Il s'agit, en fait, de particules qui nous enveloppent, qui tournent autour de nous. Chaque organe est un centre énergétique, qui donne une coloration propre à l'aura. On la retrouve dans tout ce qui est vivant, donc également dans les plantes.

L'aura permet de détecter les activités changeantes de l'individu. Ainsi, une personne qui perd de l'énergie voit son champs énergétique diminuer, et les couleurs de son aura changer. Il est évident que le phénomène de l'aura existe aussi chez les animaux. Le phénomène observé par la photographie Kirlian sur des corps inertes concerne des champs magnétiques qui n'ont pas de rapport réel avec les auras ; ils se rapprocheraient plutôt de particules animées, en rapport avec les molécules constituant la matière dite « inerte ».

Je suis persuadé que, comme moi, tout le monde peut voir les auras avec un entraînement approprié.

Je donne actuellement des cours à un petit groupe de personnes qui parviennent, elles aussi, à distinguer les auras.

Il est possible de déterminer, par l'aspect de l'aura, l'état de santé ou le caractère de quelqu'un ; elle est le reflet du corps et de l'âme.

La nature de son rayonnement renseigne sur la vitalité d'un individu. L'aura qui entoure tout le corps de chaque être vivant n'a rien de comparable avec celle de la matière « inerte ».

Pour le corps humain, l'aura, de forme ovoïde est constituée de tourbillons très complexes qui peuvent atteindre deux à trois mètres de hauteur, et parfois plus d'un mètre dans la partie la plus large, s'affinant le long des jambes, pour devenir très étroite aux pieds et sous les pieds.

Du sommet de la tête, entre les deux hémisphères du cerveau, jaillit un cône de lumière.

L'énergie aurique prend sa course dans plusieurs plexus, le long de la colonne vertébrale. Je la perçois sous la forme de vortex, ou, si l'on préfère, de sept spirales rayonnantes et colorées.

Ce sont les radiations d'énergie, que j'appréhende comme des couleurs.

Lorsqu'un homme pense fortement ou subit une émotion, son cerveau projette des vibrations qui se répercutent sur l'aura. Elle m'apparaît sous forme de rythmes colorés ; je puis donc connaître ainsi les tendances, ou l'état particulier du sujet.

Chacun possède son propre rythme, qui tient à la fréquence des vibrations.

C'est dans le nimbe, ce halo de lumière autour de la tête, que peut être lu le caractère.

La « lecture » dans les auras est assez difficile, car les appréciations des couleurs peuvent parfois être assez confuses, et de plus, le daltonisme de certains sujets peut aussi intervenir.

131

Afin de développer la perception de l'aura, il faut, tout d'abord percevoir le corps éthérique, ce qui présente plus de facilité.

L'ÉTHÉRIQUE

On désigne sous le nom de « corps éthérique », le champ magnétique faisant partie du corps bioplasmique, qui entoure chaque partie du corps physique, sur une épaisseur qui varie de un millimètre à environ dix millimètres, suivant l'état de santé ou de fatigue du sujet. Le dessin (fig. A) représente le corps éthérique enveloppant le corps humain, suivi de l'aura, dont il sera question par la suite.

La perception de l'éthérique nécessite un entraînement constant.

COMMENT S'ENTRAÎNER ?

Placer votre main (gauche ou droite) devant un écran de teinte blanche de préférence, repliez vos trois derniers doigts dans la paume de votre main, et approchez votre index à environ un millimètre de votre pouce, comme l'indique la figure B. Vous apercevez alors, entre ces deux doigts une petite ombre lumineuse de teinte bleutée qui entoure les deux doigts et, au point le plus proche, situé entre le pouce et l'index, vous pouvez percevoir les courants éthériques former plusieurs petites lignes qui tendent à se confondre entre les deux doigts, en produisant un petit picotement. Vous sentez alors la fluctuation entre l'énergie éthérique provenant des deux doigts sur le point de se toucher ; vous avez l'impression d'une petite épaisseur gluante entre vos deux doigts, due au contact des deux champs éthériques. (figure C).

Figure A

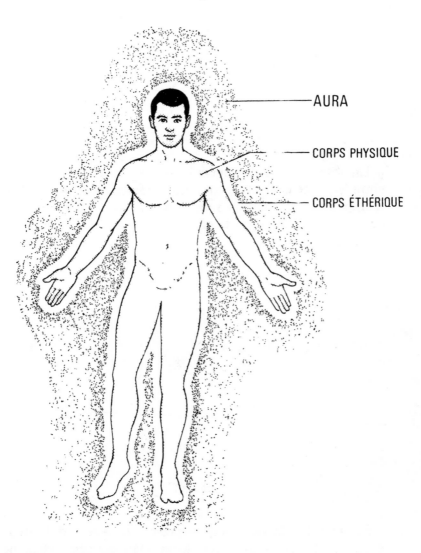

AURA

CORPS PHYSIQUE

CORPS ÉTHÉRIQUE

Figure B

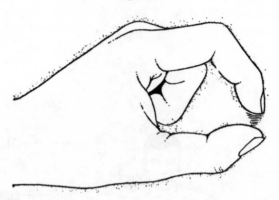

En observant attentivement les petites lignes qui se forment entre le pouce et l'index, vous remarquerez qu'elles semblent se repousser et, si vous rapprochez encore légèrement les deux doigts, vous constatez que les « ondes » éthériques s'entrecroisent.

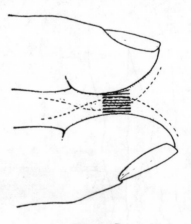

Figure C

Si vous faites la même expérience en utilisant un doigt de la main droite avec un doigt de la main gauche, vous ne constaterez plus le même phénomène car, dans ce cas, vous

134

observerez que le courant éthérique passe d'un doigt à l'autre en formant un petit cône, suivant la figure D. Ceci est très intéressant pour l'étude des polarités du magnétisme humain.

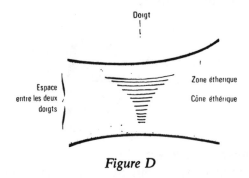

Figure D

Après de nombreux exercices d'observations, vous vous rendrez facilement compte que l'épaisseur de la couche éthérique varie suivant l'état de santé ou de fatigue. En observant les personnes qui vous entourent, vous pourrez juger du premier coup d'œil de leur état de fatigue et de leur vitalité.

Ensuite vous pourrez vous entraîner à percevoir une couche bien plus subtile, qui succède à l'éthérique et que l'on nomme AURA.

L'AURA

L'aura est une source énergétique formant des tourbillons très compliqués enrobant le corps. Suivant la vitalité de l'individu, elle atteint une hauteur pouvant dépasser deux à trois mètres, et une largeur d'environ un mètre à un mètre cinquante dans sa partie la plus large.

Les courants auriques prennent leur source dans les plexus, le long de la colonne vertébrale et se présentent sous formes de vortex rayonnants et colorés. Ils sont au nombre de sept.

Le premier vortex est localisé à la base de l'épine dorsale, sa couleur prédominante est l'orangé, puis en second lieu la teinte rouge. L'énergie qui en émane forme de multiples tourbillons, séparés en quatre compartiments, et se projette ensuite dans le corps aurique. Figure E.

Forme apparente du premier vortex.

Le deuxième vortex est situé au-dessus de la rate, de couleur rouge et vert, sa couleur prédominante est le rouge. Comme pour le premier vortex, l'énergie qui en émane forme de multiples tourbillons, mais celui-là est séparé en six compartiments.

Le troisième vortex, situé au-dessus de l'ombilic est de couleur vert-bleu et violet. Couleur prédominante, le vert.

L'énergie qui émane de ce vortex, comme de tous les autres vortex, forme de multiple tourbillons. Celui-là est compartimenté en dix éléments.

Le quatrième vortex est localisé au-dessus du cœur, de couleur jaune d'or ; il est constitué par douze compartiments.

Le cinquième vortex est localisé à la gorge, de couleur bleu et blanc, sa teinte prédominante est bleue. Il est constitué de seize compartiments.

Le sixième vortex est situé à la base du front, entre les deux sourcils, couleurs bleu indigo, violet, rose et rouge. La teinte prédominante est le bleu indigo. Il est constitué de quatre-vingt-seize compartiments.

Le septième vortex est localisé au sommet de la tête, c'est le vortex coronal. Sa couleur est le violet, avec le centre or. Il est constitué de neuf cent soixante compartiments, dont un petit centre secondaire de douze compartiments.

La figure E représente les sept vortex en action avec les tourbillons auriques qui en émanent.

Figure E.

137

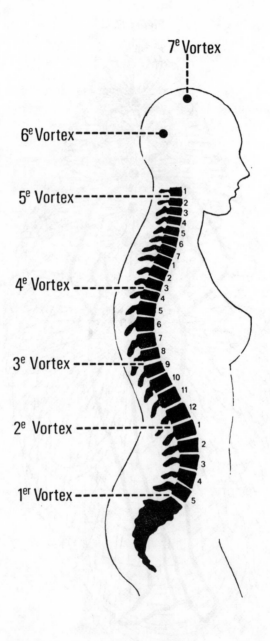

7e Vortex

6e Vortex

5e Vortex

4e Vortex

3e Vortex

2e Vortex

1er Vortex

Lire dans les auras n'est pas chose facile ; chaque individu voit l'aura des autres à travers la sienne. Comme les couleurs de l'aura changent suivant les pensées émises, l'état de santé, les émotions du moment, etc., l'optique de l'observateur est différente, même si l'aura de la personne observée ne change pas. Donc, le plus sage est de s'étudier soi-même ; ensuite il est possible, en tenant compte d'observations longues et minutieuses, faites à titre expérimental, de juger par soi-même, la valeur des différentes couleurs observées sur autrui.

Lorsqu'on étudie une aura, il faut tout d'abord fixer son attention sur le cercle de lumière (Nimbe).

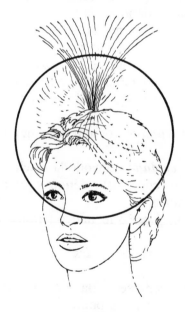

Nimbe

Nimbe : bleu très pâle : indique une très profonde conviction religieuse, proche de l'union avec Dieu.

139

Nimbe : bleu clair : indique un mysticisme, ou un caractère indécis.

Nimbe : bleu foncé-violet : conviction religieuse.

Nimbe : bleu foncé, tirant sur le marron : signe de fausse dévotion, égoïste.

Nimbe : bleu lilas : spiritualité élevée.

Nimbe : bleu sombre : effort pour progresser.

Nimbe : gris : teinte de la tristesse et du manque d'énergie.

Nimbe : gris-vert : le gris-vert apparaît dans l'aura d'une personne qui désire tromper. Des lignes grises visibles sur le nimbe indiquent que le sujet souffre d'un mal de tête. (S'il y a présence de lignes grises au-dessus d'un organe, cela indique sa faiblesse, il faut que l'organe soit traité par un médecin avant que la maladie ne s'y installe.) Les lignes grises sont, en quelque sorte, signes précurseurs de maladie.

Nimbe : gris pâle : dénonce la peur.

Nimbe : jaune : représente l'intellectualité.

Nimbe : jaune d'or : révèle une spiritualité très élevée.

Nimbe : jaune-rouge : signale une forte intellectualité, mais peut également révéler un caractère irritable.

Nimbe : jaune très rouge : indique un complexe d'infériorité.

Nimbe : jaune brunâtre : dénote un sujet ayant de mauvaises pensées.

Nimbe : jaune verdâtre : dévoile la méchanceté.

Nimbe : marron (chocolat) : dénote également la méchanceté, mais par égoïsme.

Nimbe : marron foncé : le marron foncé est la teinte de l'égoïsme.

Nimbe : marron-gris, avec des lignes rouges : désigne la jalousie.

Nimbe : noire : représente la méchanceté et la cruauté.

Nimbe : orange : signe de bonté.

Nimbe : orange mélangé de vert : caractère coléreux et blessant.

Nimbe : orange mélangé de brun : paresse.

Nimbe : rouge : le rouge est très difficile à définir, car il

M. Raymond Réant, et le professeur François Saison.

Statuette égyptienne de la XVIIIe Dynastie, sur laquelle a été prélevée la poudre noire, contenue dans le petit tube en verre, sur lequel a été exécuté la psychopathotactie.

hérisson de bonne volonté, est d'un ve
(fig. 226). Une tête de pharaon, d'ur
porte une coiffure rayée de
bleu sombre. Si belles que
soient ces pièces, le chef-
d'œuvre de la série est la statuette du premier prophète
d'Amon Ptahmos, à Boulaq.
Les hiéroglyphes et les détails
du maillot funéraire ont été
gravés en relief, sur un fond
blanc d'une égalité admirable,
puis remplis d'émaux. Le visage et les n
turquoise, la coiffure est jaune à raies v
également
tères de l'i
vautour q
ailes sur la
est harmo
léger : auc
mousse la
tours ou la
La po
commune
Les tasse
les bols
fond et c
tiques,

FIG. 229.

sons (fig. 228), de palmes à l'encre noi
de la XVIIIe, de la XIXe ou de la
ampoules lenticulaires, à vernis ve

Statuette de bronze, sur laquelle a
été effectuée la psychopathotactie.

Document extrait de l'ouvrage, l'*Archéologie égy*
tienne de Gaston Maspéro, paru en 1887.

ymond Réant, tenant en main des tubes contenant des cultures microbiennes, sur lesquelles
xpérimente, par action télépsychique.

gyptien, à fard, de la XIXᵉ Dynastie, sur lequel a été exécuté la
opathotactie.

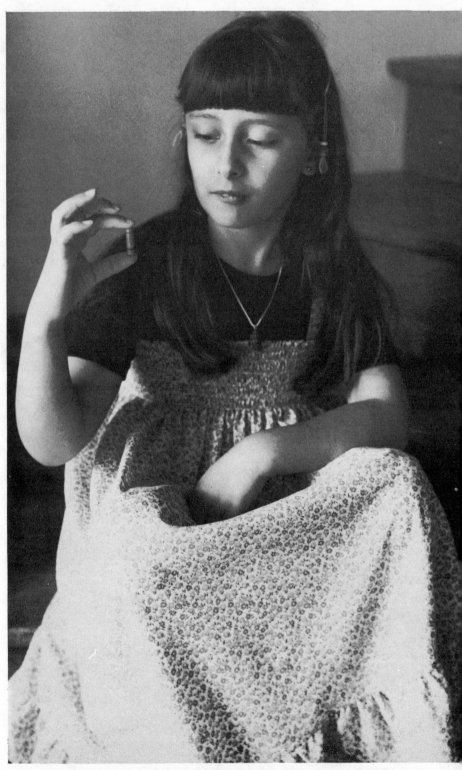

Aurore Réant, effectuant une expérience de perception extrasensorielle, sur un objet contenu dans un petit tube de verre d'un centimètre cube, opacifié, afin d'éviter toute suggestion.

n'est pas facile de traduire les différentes variétés de cette teinte ; c'est pour cela, par exemple, que le rouge « feu », suivant une faible différence, peut indiquer un caractère bestial ou héroïque.

Nimbe : rouge clair : révèle l'amour ; s'il est légèrement rosé, l'amitié sincère.

Nimbe : rouge terne : fausseté et méchanceté.

Nimbe : rose pâle : teinte de l'amour sincère. Le rose pâle se rencontre aussi chez les martyrisés.

Nimbe : vert : révèle un sujet doué pour les guérisons lorsque le vert domine.

Il est remarquable de constater, que des radiations grises placées au-dessus d'un organe, signalent sa faiblesse, et que le rouge-brun faisant des pulsations au-dessus d'un organe, révèle la présence d'un cancer, parfois même avant qu'il ne soit déclaré. Des radiations grises, presque noires, indiquent une région du corps très menacée par la maladie, il faut agir vite.

Il me paraît fort intéressant de signaler, que le professeur Kirlian et sa femme, par une technique fondée sur un champ à haute fréquence, ont pu mettre en évidence les radiations auriques, lumineuses et colorées, qui enveloppent le corps humain.

M. et Mme Kirlian montrèrent également que des maladies pouvaient être prévues à l'avance, à l'aide de leur appareil, par des perturbations de la structure colorée qui émane de la partie du corps d'un sujet soumis à cette étude.

Cela signifie que ces faits, détectés par les clairvoyants depuis des temps immémoriaux, peuvent maintenant être étudiés « scientifiquement ».

XIX

LA LÉVITATION

Dans le sens parapsychologique du mot, la lévitation, est l'action de se soulever du sol ou de soulever un objet, sans aide d'un agent extérieur, dans certaines conditions, et par une force encore mal définie.

Ma première lévitation s'est produite inconsciemment, au cours d'une expérience de dédoublement durant laquelle je voulais exercer une pression sur un appareil de contrôle situé à l'Institut Métapsychique International à Paris. Tandis que je m'efforçais de réaliser l'expérience, mon corps physique situé à Villeparisis (à environ 25 km de Paris) se lévitait lentement de cinquante centimètres, en position horizontale, au-dessus du divan où je l'avais laissé. Il se stabilisa environ une minute, puis redescendit aussi lentement. En fait, je ne le sus que parce que ma fille qui était présente à ce moment là me l'apprit. D'autres lévitations de ce type se sont succédées, toujours sans que je puisse les prévoir. Depuis, il m'arrive de temps à autre, de provoquer ce phénomène, mais pas encore suffisamment pour le produire sur « commande », afin d'en étudier scientifiquement le mécanisme. Je pense être en mesure de le faire dans le courant de l'année qui va suivre, afin de pouvoir l'enseigner à mes élèves. A ce propos, je dois signaler que l'un de mes élèves, M. L..., s'est également « lévité » d'une cinquantaine de centimètres au-dessus du sol, durant des expériences de dédoublement, c'est-à-dire dans les mêmes conditions que celles de ma première lévitation.

Il y a une dizaine d'années, j'entrepris des expériences de

142

télékinésie sur de tout petits objets. Selon mon humeur du moment, ma « forme psychique », il m'arrivait parfois de faire bouger des objets, des boîtes d'allumettes placées loin de moi. Mais ces déplacements demeuraient minimes. Néanmoins, je notais des résultats bien plus satisfaisants lorsqu'il y avait des gens autour de moi, comme si j'utilisais leurs forces pour agir.

Ma femme travaillait à cette époque avec l'un de nos amis, dans un bureau à Paris. Une secrétaire acariâtre les harcelait tous les matins, dès leur arrivée, et j'avais décidé de m'occuper d'elle. Je me préparai pendant quinze jours. Je fis de la relaxation et n'utilisai pas mes forces psychiques, afin d'en avoir assez pour mener à bien mon expérience. Puis un jour, je passai à l'action. Il devait être un peu plus de neuf heures, lorsque je vis par clairvoyance la secrétaire assise à son bureau. Près d'elle se tenaient six personnes, dont ma femme. Alors, de Villeparisis, je me concentrai et poussai son sac à main posé sur le bureau. Surprise, elle le ramena près d'elle. Je recommençai, elle le regarda, très étonnée, et le remit à sa place initiale ; puis je jetai le sac par terre.

Ma femme et notre ami s'amusèrent beaucoup de cette plaisanterie ; la secrétaire, elle, fut fort effrayée, car elle ne pouvait pas admettre les mouvements d'un objet qu'elle avait toujours cru « inanimé ».

Lorsque je me lançai dans cet essai de télékinésie, j'avais vu par clairvoyance des témoins dans le bureau. Parmi eux, trois savaient ce que j'allais tenter. De mon côté, je n'ignorais pas qu'ils fixeraient leur attention sur le sac et dégageraient ainsi de l'énergie qui m'aiderait à atteindre mon but. Les autres personnes présentes n'étaient au courant de rien, et je n'imaginais même pas alors (ce que je sus plus tard) qu'une telle action à distance puisse être possible. Leur présence s'avéra néanmoins très importante pour moi, car elle apportait la preuve que ce qui s'était passé ne relevait ni de l'illusion ni de la suggestion. (1)

(1) *Pouvoirs étranges d'un clairvoyant*, Tchou, pages 44-45, 1977.

Nombreux sont les cas de lévitation constatés durant l'extase religieuse.

Afin de donner une idée de ces manifestations, voici ce que décrivait Sainte Thérèse d'Avila, sur les conditions dans lesquelles elle se lévitait pendant qu'elle priait :

« J'étais saisie d'une excessive frayeur en voyant ainsi mon corps élevé de terre. Car quoique l'âme l'entraîne après elle avec un indicible plaisir quand il ne résiste point, le sentiment ne se perd pas ; pour moi du moins, je le conservais de telle sorte que je pouvais voir que j'étais enlevée de terre.

Souvent mon corps devenait si léger, qu'il n'avait plus de pesanteur ; quelquefois c'était à un tel point que je ne sentais plus mes pieds toucher la terre. » (1)

LE CAS DE SAINT JOSEPH DE CUPERTINO

« Lorsqu'il quittait la terre, saint Joseph de Cupertino, poussait une clameur. Interrogé par le Cardinal de Lauria sur ce cri au moment de l'envol, frère Joseph de Cupertino répondit très simplement :

« La poudre quand elle s'embrase dans l'arquebuse, éclate avec un grand bruit, ainsi le cœur embrasé du divin amour. Amen ! » (2)

Personnellement j'ai constaté que mes propres lévitations étaient favorisées lorsque je me trouvais dans la demi-pénombre, et en position horizontale.

L'une de mes méthodes d'entraînement consiste à m'étendre en décubitus dorsal sur un divan, en regardant le plafond, en m'imaginant que les choses sont inversées et que le plafond devient le sol. Dans ces conditions, j'essaie d'adhérer « désespérément » au divan, que j'imagine aimanté au sol qui, dans mon raisonnement, devient le plafond.

Au bout de quelques minutes, lorsque le phénomène est

(1) et (2) — *Histoire de la magie,* par François Ribadeau Dumas — Les productions de Paris.

susceptible de se produire, je ressens en moi une légère angoisse, avec l'impression de ne plus adhérer au divan, et de « tomber sur le plafond ». C'est alors qu'il m'arrive parfois de léviter.

Cette méthode relativement simple permet d'espérer, avec beaucoup de patience, quelques bons résultats.

A bien dire, pour le moment, ces expériences semblent n'être d'aucune utilité, sinon pour vérifier que l'esprit commande le corps.

XX

LA RADIESTHÉSIE

A LA RECHERCHE D'UNE PERSONNE DISPARUE

La radiesthésie est l'art que possèdent certains sensitifs, en s'aidant d'une baguette de sourcier ou d'un pendule, de trouver des filons de minerais, des nappes d'eau, des objets perdus, de localiser les maladies, etc.

La radiesthésie peut être exercée sur place, mais également sur une carte ou sur un croquis. Dans les deux derniers cas, elle prend le nom de téléradiesthésie.

La radiesthésie permet aussi de détecter les radiations émises par les êtres vivants et les objets. Elle entre dans le cadre de la perception extrasensorielle et rend, dans ses applications pratiques, d'incontestables services. Personnellement, je ne l'utilisais que pour déterminer la situation géographique probable, de personnes, d'animaux ou d'objets recherchés.

La détection radiesthésique n'est pas une chose facile. Il ne faut surtout pas croire qu'il suffit de saisir un pendule entre le pouce et l'index, en attendant le mouvement giratoire qui doit déterminer la réponse à une question posée, pour obtenir un résultat positif. Cela est bien plus compliqué. La radiesthésie nécessite une technique opératoire très variable, selon les études ou les recherches à entreprendre. De plus, les résultats peuvent être assez capricieux, surtout lorsqu'il s'agit de téléradiesthésie sur cartes. Cependant, il s'avère que des résultats très précis ont pu être obtenus en se servant de cartes, à l'aide d'un pendule.

Voici, à titre d'exemple, l'étude suivante.

Une jeune femme me rend visite et me demande de bien vouloir l'aider. Son mari venait, subitement et sans raison apparente, de quitter le domicile conjugal, à la suite d'un traumatisme nerveux.

Sur ma demande, la jeune femme me remet un vêtement porté par le disparu, ainsi qu'une photographie, pour identification. Je demande à cette jeune femme de me laisser son numéro d'appel téléphonique, et de retourner à son domicile.

Dix heures plus tard, je téléphonais à ma consultante, pour lui annoncer que son mari s'était rendu en voiture dans une ville normande. Je le voyais même dans une maison rurale (type normand), dont je lui dépeignis, à l'aide de la clairvoyance, l'environnement et l'intérieur. Deux personnes âgées se trouvaient près de lui. Ma correspondante, stupéfaite, me répond :

« Votre description correspond exactement à ses grands-parents, et à leur maison. De plus, ils habitent précisément au lieu que vous m'indiquez... Je vais me rendre tout de suite chez eux, je vous remercie infiniment... » Le lendemain matin, la jeune femme me rappelle pour me dire qu'elle a retrouvé son mari chez ses grands-parents. Tout est exact, même le trajet suivi par le fugueur pour se rendre à destination. *(Le trajet avait été indiqué par radiesthésie.)*

Les réussites de ce genre sont nombreuses, mais il se produit aussi, malheureusement, des erreurs, qui sont de l'ordre d'environ vingt pour cent.

Ce qu'il y a de curieux dans ces erreurs, c'est qu'elles peuvent être totales. C'est-à-dire qu'aucune donnée ne semble correspondre.

Ces vingt pour cent d'erreurs restent assez troublants, et font l'objet d'études approfondies.

Comme pour les cas de « voyances » dans le futur, les premiers résultats de ces recherches ont donné les résultats suivants :

10 % d'erreurs dues à des émissions de pensées produites par la personne recherchée, et captées par télépathie. Certains faits très précis ont été prouvés.

5 % d'erreurs provenant de perceptions extrasensorielles concernant le passé ou le futur.

5 % d'erreurs provenant de causes encore inconnues.

Si un pendulisant travaille sur une carte ou sur un plan, sa pensée se transporte instantanément sur les lieux réels, correspondant à la carte ou au plan. Suivant les dispositions requises par l'opérateur, ou les conditions dans lesquelles il travaille, les impressions perçues donnent des informations précises, ou erronées.

Reprenons la recherche d'une personne disparue.

Conseils pratiques

Il faut se procurer d'abord les éléments suivants :

1° Une photographie du disparu.

2° Un objet ayant été en contact avec le disparu.

3° Un pendule de radiesthésiste.

4° Une carte détaillée, qui sera déterminée après l'étude générale exécutée sur une carte du monde.

Voici ensuite comment je procède :

Je me lave soigneusement les mains, afin de me débarrasser le plus possible des « contacts » étrangers. Puis je place dans ma main gauche l'objet qui sert à prendre contact avec la personne recherchée sur laquelle je fixe ma pensée, en regardant la photographie, afin de pouvoir la « visualiser ». Ensuite, je « balaie » de la main droite la surface de la carte du monde, jusqu'au moment où se produit à l'extrémité de mes doigts une petite secousse due à une contraction musculaire, ce qui détermine la zone dans laquelle je dois orienter les recherches... D'abord un continent, ensuite le pays. J'opère alors sur une carte plus détaillée, puis sur une carte d'état-major. Lors de cette dernière phase, la méthode d'exploration devient très minutieuse. Il faut par conséquent prendre énormément de précautions, et en particulier se servir de préférence d'une carte n'ayant jamais été utilisée. La fixation de la pensée sur un point quelconque d'une carte perturbe considérablement la recherche radiesthésique. C'est pourquoi, lorsqu'on s'est déjà servi d'une carte, les points sur lesquels l'attention de l'observateur s'est fixée produisent un phénomène de rémanence (persistance d'émanation d'un corps dans un lieu où il n'est plus). Quand le radiesthésiste « balaie » à nouveau cette carte, il arrive fréquemment que les rémanences soient confondues et considérées comme offrant un centre d'intérêt.

Les rémanences peuvent être neutralisées en partie en passant lentement une main, côté paume, à quelques centimètres au-dessus de la carte. On fait un mouvement de va-et-vient sur toute la surface de cette carte

L'opération de dépistage par téléradiesthésie, sur une carte d'état-major, s'effectue de la façon suivante : placez l'objet ayant appartenu à la personne recherchée, à la droite de la carte d'état-major Mettez la photographie à côté de l'objet. Puis posez-vous la question :

« Où se trouve la personne recherchée ? »

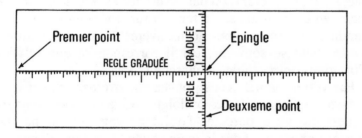

Remarque : Si le pendule reste immobile, lancez-le pour lui donner le premier mouvement.

De la main gauche, déplacez lentement une règle graduée sur la surface de la carte, tandis que votre main droite tient un pendule au-dessus de l'objet. En regardant de temps à autre la photographie du sujet, attendez que le pendule accuse une inversion giratoire. A ce moment précis, immobilisez la règle graduée, puis recommencez la même opération en faisant glisser une pointe métallique ou n'importe quel instrument permettant un pointage. Et, partant d'une extrémité de la règle graduée, déplacez doucement la pointe métallique le long de cette règle jusqu'à ce que le pendule change son mouvement de rotation, marquant ainsi sur la carte le point probable où se trouve la personne recherchée.

Placer un repaire à l'aide d'une épingle .

COMMENT PRATIQUER LA RECHERCHE RADIESTHÉSIQUE « SUR LE TERRAIN » ?

La recherche radiesthésique « sur le terrain », comme son nom l'indique assez clairement, s'effectue sans carte, en suivant « matériellement » les indications données par le pendule.

Le premier procédé consiste à « syntoniser » avec un objet semblable. On peut soit le tenir à la main, soit faire tourner le pendule au-dessus de lui. Le pendule ne sera sensible qu'aux vibrations émises par le corps semblable au témoin.

Si le témoin manque, il faut alors avoir recours à la « visualisation », c'est-à-dire créer mentalement le témoin nécessaire. Cela étant, on peut syntoniser sur lui le pendule en main, en fixant toute son attention sur le témoin visualisé. Le pendule effectuera alors un mouvement particulier, dont il faudra bien se souvenir, car il correspondra aux relations vibratoires entre l'objet recherché et vous.

Par votre volonté, vous pouvez émettre par vos yeux, vos tempes, et l'extrémité de vos doigts, des rayons électromagnétiques, qui iront percuter l'objet de votre recherche. Dès l'instant où vous tendez la main restée libre (l'autre tenant le pendule) dans la direction à explorer, le pendule prendra un sens giratoire, suivant la convention que vous aurez choisie une fois pour toutes. Par exemple, s'il tourne dans le sens des aiguilles d'une montre, cela voudra dire « Oui », s'il tourne en sens inverse, cela voudra dire « Non », et s'il oscille de façon linéaire, cela voudra dire « Indifférent », ou alors il indiquera un point précis.

Si, ayant un pendule en main, pour la recherche d'un objet,

ou d'une personne disparue, ou autre, vous visualisez le témoin, il vous faudra, dans la direction où les recherches devront être dirigées, tendre le bras resté libre (avec ou sans témoin s'il y a visualisation), tendre également l'index de cette même main et tourner lentement sur vous-même, jusqu'à ce que votre pendule indique une oscillation linéaire, entrecoupée avec le mouvement particulier, correspondant à la syntonisation avec l'objet témoin. Vous connaissez, dès ce moment, la direction à prendre, et vous la suivez jusqu'à ce que votre pendule accuse une forte oscillation, correspondant à celle du témoin. Arrivé à ce point, si l'objet de votre recherche n'est pas situé en surface, vous pouvez, mentalement poser les questions suivantes, sans perdre le contact avec l'objet témoin : « L'objet est-il situé entre 0 et un mètre ?... Entre 0 et mille mètres » etc. Lorsque le pendule tournera dans le sens favorable, par exemple dans le sens des aiguilles d'une montre pour dire oui, il ne vous restera plus qu'à vérifier si vous avez fait du bon travail. Il est bien évident que vous n'arriverez pas à de bons résultats dès les débuts. La radiesthésie est une science qui demande une longue expérience. Cette technique est également valable si l'on utilise le regard, pour déterminer la direction à prendre dans les recherches. Le témoin restera alors dans la main libre, uniquement pour en avoir le contact.

Si vous visualisez, la main restée libre ne participera en rien à la recherche.

La radiesthésie, également appelée Thaumaturgie pendulaire, et Créstomancie, est déterminée par trois conditions primordiales :

1° Avoir confiance en elle.

2° Visualiser.

3° Réaliser par anticipation le but à atteindre.

Il ne faut pas confondre « visualiser », qui veut dire voir en soi, dans son psychisme, l'image d'un objet volontairement représenté, avec « visionner », qui est la voyance, dont les « clichés » ou les scènes ne sont pas créés en esprit, et qui sont interprétés par un médium intuitif.

En radiesthésie, les « clichés », qui sont des créations volontaires, ne s'interprètent pas, mais servent de supports.

Pour la radiesthésie, le thaumaturge utilise généralement un pendule ou une baguette de coudrier, mais peut également opérer sans instrument, en se référant aux sensations nerveuses qu'il perçoit.

Pour le pendule, il est préférable de le tenir entre le pouce et l'index, la main formant un col de signe. Quant à la baguette, la tenir en position instable, les deux paumes des mains tournées vers le ciel. Il ne faut surtout pas se crisper sur le détecteur, il faut être naturel, avoir la plus grande immobilité pour que le pendule ait de la souplesse, et la baguette de l'aisance. Le débutant doit travailler sur des objets ayant une propriété connue, pour qu'il puisse bien étalonner ses réflexes physiologiques.

La forme et la nature des pendules n'ont aucune importance ; choisissez un pendule à votre goût, d'un poids à votre convenance, une longueur qui vous permettra d'obtenir des mouvements giratoires ou oscillants très nets et très amples.

Lorsque vous aurez enregistré vos réactions sur des objets de propriétés différentes, connues, vous pourrez établir une autre liste, conçue de la façon suivante :

Plus . . . . Moins
Oui . . . . Non
Mâle . . . . Femelle
Santé . . . . Maladie   Syntonisez vous avec la
Bon . . . . M a u v a i s valeur de ces mots.
Nord . . . . Sud
Est . . . . Ouest
Mort . . . . Vivant
Etc.

Cette liste peut aller à l'infini et n'a qu'un but : étalonner le radiesthésiste, donner un langage à votre pendule.

Selon mes expériences personnelles, l'émotivité que produit un échec perturbe considérablement un sensitif. Une sorte de crainte s'empare du sujet, créant le doute qui annihile ses facultés pendant un temps plus ou moins long. On s'aperçoit que les résultats obtenus se dégradent avec une rapidité déconcertante, si le sujet ne prend pas soin de s'accorder un peu de repos. C'est pour cela que même un très bon radiesthésiste peut subitement être privé de ses moyens, durant une période plus ou moins longue.

XXI

QUESTIONS POSÉES

LES CORPS EMBAUMÉS-INCINÉRÉS-INHUMÉS, LA VIE DU DOUBLE

Des questions me sont souvent posées ; est-il préférable d'incinérer les morts ? De les inhumer ? De les embaumer ? Elles me paraissent très pertinentes. Voyons d'abord quel est le processus de la mort.

En termes simplifiés, la mort est le résultat de la séparation définitive du corps physique et du corps bioplasmique (1), ce dernier entraînant avec lui l'esprit de l'individu. Ce phénomène se produit lorsque, pour une raison quelconque, les organes du corps physique s'affaiblissent progressivement, ou brutalement, jusqu'au point de ne plus produire le champ énergétique appelé « aura ».

L'aura retient, par une sorte d'aimantation, l'imprégnation du corps physique par le corps bioplasmique.

Donc, lorsque la mort survient, le corps bioplasmique conserve avec lui l'esprit du défunt, se sépare du corps physique, pour entrer dans une vie nouvelle, celle des désincarnés du premier degré, qui n'est autre qu'une métamorphose. Le deuxième degré étant celui de la séparation de l'esprit et du corps bioplasmique, qui donne naissance à la deuxième métamorphose.

(1) Le corps bioplasmique est celui généralement appelé « Corps astral » ou « Double ».

154

C'est au niveau du premier degré que la question posée prend toute son importance. En effet, par voie paragnostique, il est possible d'observer, qu'après la mort du premier degré, le corps bioplasmique tire une partie de son énergie du cadavre, un peu à la manière du poussin à l'intérieur de l'œuf. Il ne se nourrit normalement que de particules de matière en « résonance » avec lui.

En réalité il n'en utilise qu'une très faible quantité que ce soit dans la chair, ou dans les os.

Dans ces conditions, un corps bioplasmique peut avoir, s'il ne lui arrive rien de fâcheux, une durée de vie d'environ six cents ans.

Si le corps physique se trouve détruit par le feu, ce qui, à mon avis, n'a pas été prévu par le maître créateur, la « métamorphose » brûle une étape, et soustrait alors à l'individu l'expérience spirituelle de cette métamorphose.

Certaines civilisations, telle que celle de l'ancienne Egypte, conservaient encore, bien que très déformée, cette croyance en la nécessité de ne pas brûler les corps, et même, par souci de conservation de cette métamorphose, embaumaient leurs morts.

L'ancienne Egypte, vestige d'une colonie Atlante, vivait déjà une époque de décadence spirituelle. On retrouve dans le « Livre des Morts » quelques lignes assez significatives. Par exemple, dans le chapitre 172, verset 6, 5e ligne, il est écrit :

« On t'apporte les cuisses d'animaux pour ton *double*. » Ce qui signifie que les anciens égyptiens « savaient » les besoins du double (corps bioplasmique) en matière animales, mais avaient totalement oublié qu'il s'agissait du corps du défunt. Ils conservèrent les corps en les embaumant, ce qui n'était pas nécessaire, les os suffisent. En revanche, dans le même chapitre, verset 6, ligne 17, on peut lire ceci :

« Tu goûtes aux pains et aux rôtis sur tes " réserves ". »

Chapitre 38

Verset 2 ; Qu'est celui qui obscurcit mes dessins — par des discours sans intelligence ?

Verset 4 ; Où étais-tu quand je fondais la terre ? Dis-le, si tu as de l'intelligence ?

Verset 12 ; Depuis que tu existes, as-tu commandé au matin — etc.

Verset 16 ; As-tu pénétré jusqu'aux sources de la mer ? T'es-tu promené dans les profondeurs de l'abîme ?

Verset 17 ; Les portes de la mort ont-elles été ouvertes ? As-tu vu les portes de l'ombre de la mort ?

Verset 18 ; As-tu embrassé du regard l'étendue de la terre ?

Verset 21 ; Tu le sais, car alors tu étais né, Et le nombre de tes jours est grand.

Le corps physique de l'être vivant est condamné à avancer inexorablement vers la mort.

Quelle est donc cette mort qui nous est si naturellement infligée ?

C'est la perte de notre enveloppe charnelle, une métamorphose qui peut être comparée à celle d'un haricot, dont le germe, après être resté enfermé durant un certain temps dans la graine constituant son corps, prend racine, élève ses feuilles au-dessus du sol, et abandonne ses deux cotylédons, enveloppe de sa première condition.

Il en est de même de la chenille qui sort de son cocon, métamorphosée en papillon.

Le corps humain est une sorte de cocon, sa métamorphose ne donne pas naissance, comme pour la chenille, à un nouveau corps matériel transformé, mais à un corps semi-matériel régénéré.

Que se passe-t-il ?

Il y a plusieurs façons de le savoir ;

156

1° Par les informations paragnostiques, que transmettent certains médiums en état de dédoublement.
2° Par déductions scientifiques.
3° Par la psychopathotactie (voir pages 22 à 26).
Comme vous pouvez le constater, il y a de quoi satisfaire chaque croyance.

1° Par l'information paragnostique

Pour l'être humain capable de se dédoubler, il n'y a pas de problème : l'état de dédoublement n'est autre que la séparation temporaire de l'homme réel avec son corps physique. La seule différence réside en ce que l'individu en état de dédoublement volontaire, peut réintégrer son corps physique s'il est dans un état de fonctionnement favorable ; tandis que pour le mourant, cela est différent : l'état de dédoublement qui se produit alors est consécutif à la défaillance du corps physique.

Expérience personnelle

En état de dédoublement, j'ai eu plusieurs fois la possibilité d'observer le processus de la mort qui, a posteriori, s'avère semblable aux récits de certaines personnes ayant été déclarées mortes, et qui ont été réanimées. Voici ce que j'ai constaté :

Au moment où l'homme rend son dernier souffle, son double, communément appelé « Corps astral », par des soubresauts successifs, entrant et sortant alternativement, de façon incomplète, du corps physique, comme s'il s'efforçait à ne pas le quitter, semble hésiter avant de s'extérioriser. Des individualités désincarnées, venues de je ne sais où, sont là qui attendent. Le mourant semble alors très angoissé, et revit tous les points saillants qui ont marqué sa vie. Puis la mort survient. Le double se détache entièrement du corps physique, et s'élève lentement.

L'homme, ainsi dépouillé de son corps mortel, prend alors conscience du phénomène qui se produit, et regarde anxieusement le corps qu'il vient de quitter, puis observe les membres de sa famille qui se lamentent autour de son cadavre. Il essaie de manifester sa présence, ne comprenant pas qu'il ne puisse plus communiquer avec sa famille. Les individualités désincarnées s'approchent. Le « nouveau né » à la vie semi-matérielle semble reconnaître des personnes déjà connues, qui s'empressent autour de lui.

Une tranquillité ineffable l'envahit, et la souffrance s'éloigne de lui pour toute la durée de cette nouvelle vie. Il constate que son nouveau corps ne présente aucune imperfection, et qu'il peut se déplacer dans l'espace, sans tenir compte des obstacles matériels.

Comme ce fut le cas à sa naissance dans sa vie matérielle, il trouve une famille, constituée généralement par des parents « morts » avant lui, et une nouvelle destinée commence.

Il arrive fréquemment que les désincarnés suivent l'enterrement de leur cadavre, et qu'ils se manifestent dans le monde matériel les jours suivants. Voici un exemple assez significatif de manifestation d'un défunt :

Nous sommes le 10 février 1963, l'hiver est rigoureux. Monsieur Albert R., 30 ans, visiblement grippé, allume un poêle à charbon dans la grande serre où il a rassemblé toutes ses plantes sensibles au froid. Il traverse maintenant la cour et entre dans sa maison. Une odeur d'oignons frits parfume l'intérieur du logis, ses sept enfants sont assis autour de la table familiale en attendant pour commencer le repas du soir ; mais Albert R. est fiévreux et demande à sa famille de prendre le repas sans lui. Il se rend dans sa chambre à coucher et se met au lit. Sa femme, inquiète, appelle un médecin. Diagnostic : pneumonie ; il doit rester au chaud et ne pas quitter le lit. Cependant, en pleine nuit, il sort pour aller remettre du charbon dans le fourneau de la serre, traverse la cour dans la nuit glacée, revient et se remet au lit sans avoir réveillé qui que ce soit. Mais hélas, le lendemain matin, son état de santé s'est aggravé, le médecin est appelé de toute urgence ; les deux poumons sont congestionnés, et quelques jours plus tard, ne pouvant plus respirer, il est transporté dans un hôpital de Seine-et-Marne, où il subit les soins nécessaires. Son état de santé devient de plus en plus alarmant, et il doit porter en permanence un masque à oxygène, durant une bonne semaine, au cours de laquelle son moral semble assez bon. Il fait des projets et donne des consignes à sa femme pour l'affaire horticole qu'il exploite. Jusque-là, il conserve son humour. Malheureusement, son état de santé s'aggrave, et le coma s'empare de lui. De temps à autre, il reprend connaissance et essaie de cacher son angoisse en disant quelques mots gentils. Et puis ce sont les derniers moments, les plus douloureux pour la famille ; le médecin annonce qu'il n'y a plus aucun espoir, et il entreprend un traitement à la morphine, afin d'éviter la souffrance. Dans un dernier espoir, la famille fait venir un magnétiseur et, après une séance d'une heure, M. Albert retrouve la conscience qu'il avait perdue depuis trois jours. Il sent l'aide que vient lui apporter le magnétiseur, il lui saisit une main, et la serre de toutes ses forces, et dit : « Ne me quitte pas !... Ne me quitte pas ! » Le magnétiseur reste près d'Albert jusqu'à minuit, et repart d'un air satisfait en disant : « Que Dieu soit avec toi ! » Nous sommes le lendemain soir, le magnétiseur revient avec la famille. Une agréable surprise les attend, Albert est éveillé et attend leur visite. Le magnétiseur refait une séance « curative », et demande à voir le médecin. « Le médecin n'est pas ici », répond l'infirmière en chef. « Peut-on le joindre par téléphone ? », insiste le magnétiseur. Réponse : « Non, il est invité à une réception, pourquoi voulez-vous lui parler ? » Réponse du magnétiseur : « Pour lui demander, étant donné que cet homme est condamné par la médecine, s'il serait possible d'arrêter le traitement à la morphine, puisqu'il semble avoir des réactions pour le moins inattendues ? » « C'est souvent comme cela, répond l'infirmière et je dois continuer le traitement que le médecin m'a ordonné. » Réplique du magnétiseur : « Ne pourriez-vous pas arrêter la morphine sur la demande du malade, puisqu'il semble y avoir une nette amélioration ? » « Impossible. » Et les piqûres de morphine continuent à être administrées. Le magnétiseur repart en même temps que la famille, vers 23 h 30. Une heure plus tard, un voisin vient avertir la famille qu'une communication téléphonique de l'hôpital annonce que les derniers moments sont venus, la famille peut venir à l'hôpital, pour voir Albert une dernière fois avant le décès. La famille s'y rend, mais il est trop tard. La mort est survenue. Albert, dont le courage et la jeunesse laissaient entrevoir un heureux avenir, laisse derrière lui une veuve avec sept enfants.

Albert était marié à une brave et courageuse jeune femme divorcée. Monsieur le curé accourt pour consoler la veuve, promettant qu'avec une somme de cinquante mille anciens francs (nous sommes en 1963) et bien que le défunt ait été marié avec une divorcée, il pourrait recevoir les derniers sacrements de l'Eglise. La malheureuse femme est sans argent et entièrement désemparée par la mort de son mari.

Le jour de l'enterrement arrive, une partie de la famille se rend à la morgue pour la levée du corps. Le défunt est alors exposé à la vue de tous avant la mise en bière. Il n'a plus la même expression qu'il possédait quelques heures après sa mort. Son visage est souriant, et sa tête qui était en position normale est maintenant tournée sur le côté droit.

Le cortège funéraire se dirige à présent vers l'église où attendent le reste de la famille et les amis.

La journée est triste et pluvieuse, la voiture funéraire s'arrête devant la porte de l'église qui est fermée. Chacun attend que monsieur le curé fasse son apparition, mais ce dernier demeure invisible. Deux des membres de la famille se rendent au presbytère, pour lui demander ce que cela signifie, étant donné qu'il avait accepté de dire une messe, bien que la pauvre veuve ne puisse lui remettre la somme convenue de cinquante mille anciens francs d' « honoraires ». Ce saint homme a changé d'avis. Il répond qu'il n'ouvrira pas les portes de l'église pour y faire entrer la dépouille d'un homme rendue impure par un mariage réprouvé par l'Eglise catholique romaine. La famille et les amis, indignés, insistent, mais le curé se précipite comme un corbeau endiablé vers la porte de l'église, se place devant elle, tendant latéralement les bras, et dit : « Vous pouvez repartir, l'église ne vous sera pas ouverte. » Alors, toutes les personnes présentes assistent à un spectacle bouleversant. La maman d'Albert, femme très pieuse, qui ne manquait jamais de se rendre à la messe le dimanche, s'agenouille dans la boue créée par la pluie qui ne cesse pas de tomber, et implore monsieur le curé de bien vouloir donner les derniers sacrements à son fils, de lui pardonner d'avoir eu l'instinct, bien naturel, de s'être marié à une femme qu'il a aimé. « Le Christ a pardonné ! » dit-elle. « Moi je ne pardonne pas », réplique le curé. Un grondement de mécontentement monte de la foule, tandis que le curé reste devant la porte de l'église, pour en interdire l'accès. C'est alors que le magnétiseur, qui assiste à cette honteuse comédie, intervient, fixe de son regard le curé, qui devient complètement muet et immobile durant cinq minutes environ, dans un silence presque total de l'assistance. Puis le magnétiseur lâche de son regard le curé qui, le visage blême, part aussitôt.

Une jeune femme de la famille du défunt s'adresse au magnétiseur, et lui demande : « Que lui avez-vous fait pour qu'il courre si vite ? »

Le magnétiseur, dont le visage, aussi blanc que celui du curé, reflète la colère, répond : « Je lui ai donné la diarrhée. »

Le cortège se dirige ensuite vers le cimetière, et le défunt est inhumé, sans avoir reçu les derniers sacrements de l'église, par « manque d'argent ».

A la suite d'une pétition, la vipère déguisée en brebis se trouve, par la suite, chassée de la région, et remplacée par un curé digne de ce nom.

Le magnétiseur, c'était moi.

Hantise

Les jours qui suivent sont semés d'événements étranges. Dans la maison du défunt, les rideaux volent, comme s'il y avait un courant d'air, bien que toutes les portes et fenêtres soient fermées. Puis les portes s'ouvrent et se referment

161

toutes seules, sans raison apparente, sous les regards épouvantés de la veuve et de ses enfants. L'un des enfants place une chaise derrière la porte qui s'ouvre le plus fréquemment, afin de la bloquer. Rien n'y fait. La chaise se déplace et la porte s'ouvre. On comprend fort bien la terreur des enfants et de la maman.

Les grands-parents viennent habiter avec leur fille et leurs petits-enfants. Les phénomènes changent alors de forme. Albert apparaît la nuit à ses enfants. La maman et les grands-parents, alertés par les enfants, perçoivent également l'apparition fantomatique, plusieurs nuits de suite. Albert, disent-ils, se présente sous une apparence réelle, et prononce brièvement quelques mots très embrouillés, avant de disparaître.

Dix jours après les funérailles, le brouillamini est à son comble. Le réveille-matin glisse sur la table de nuit. Croyant à une farce des plus petits, l'aîné des enfants, à plusieurs reprises, ramène le réveil à sa place initiale ; mais il continue à se déplacer. L'enfant essaie de le maintenir mais sa main est entraînée avec l'objet, sans qu'il puisse le retenir. L'enfant est alors envahi par une grande frayeur, et fait constater le phénomène à sa maman et à ses grands-parents, qui n'en croient pas leurs yeux.

La pauvre veuve tombe dans un tel état dépressif qu'elle entre en clinique psychiatrique pour suivre un traitement. A la suite d'un « contact » que je pris, en état de dédoublement, avec le défunt, les phénomènes ont cessé définitivement.

2° Par déduction scientifique

« Il existe une vie après la mort », affirme le Dr Elisabeth Kubler-Ross, psychiatre. Les preuves sont tellement nombreuses que je propose aux lecteurs de prendre connaissance du livre écrit par le docteur psychiatre Moody, préfacé par le Dr Elisabeth Kubler-Ross, qui a été vendu à plus de 110 000 exemplaires, et qui confirme (1) la première et la deuxième voie précitées.

*
* *

Thessaloniciens 5, Versets 19-20-21-22.

« N'éteignez pas l'esprit, ne méprisez pas les prophéties, mais examinez toutes choses ; retenez ce qui est bon ; abstenez-vous de toute espèce de mal. »

(1) Revue *l'Inconnu* n° 18, juin 1977.

XXII

APRÈS LA MORT

Evidemment, les personnes qui n'ont jamais fait d'expériences hors du corps peuvent supposer que le double que je perçois est la symbolisation de la mémoire du défunt : une création de mon esprit. Mais comment expliquer que j'ai vu plusieurs fois des esprits rejoindre les défunts ? Je ne les connaissais pas ; or il s'est avéré, d'après mes descriptions, que c'étaient des membres décédés de leur famille. Comment les aurais-je créés, alors que je ne les avais jamais vus auparavant ? A la mort du père de ma femme, j'ai vu une vieille femme venir le chercher. C'était sa mère, je l'appris de ma belle-mère quelque temps plus tard, lorsque je lui décrivis cette « apparition ». Je ne l'avais pas connue ni vue en photo. Elle était morte alors que ma femme n'avait que quatorze ans.

COMMENT LES ESPRITS SE PRÉSENTENT-ILS ?

Une personne morte (désincarnée) à l'âge de quatre-vingts ans, par exemple, peut très bien se présenter avec son apparence de trente ou vingt ans.

Je crois que les esprits prennent le visage et l'allure qui sont restés gravés dans la mémoire du défunt, pour la meilleure « reconnaissance ». J'ai vu la grand-mère de ma femme, telle qu'elle était avant sa mort, c'est-à-dire sous les traits d'une femme de soixante-dix ans.

Un désincarné peut, dans certains cas, apparaître à ses

164

proches ou se manifester à eux par des effets physiques, généralement pendant quelques jours, à quelques mois parfois, mais assez rarement plusieurs années après son décès. Puis il se détache progressivement du monde terrestre et revient de moins en moins souvent sur les lieux qui lui ont été familiers, ce qui lui permet de ne plus rester dans la même valeur du temps — la relativité change, et le temps des incarnés lui paraît alors éphémère.

Il y avait quelques mois que mon beau-père était mort lorsque sa femme, qui ne croit ni à Dieu ni à Diable, aperçut sur une glace qu'elle venait de nettoyer, un rond de buée. Elle essuya la « tache » et aussitôt le phénomène se reproduisit. Et il en fut ainsi trois fois de suite. Elle avait l'impression que quelqu'un soufflait sur la glace. Jamais avant la mort de son mari, ma belle-mère ne s'était trouvée confrontée à des faits qu'elle ne pouvait comprendre. Or, depuis, elle entend des bruits curieux dans sa maison. Une nuit, elle a perçu des pas qui montaient au grenier. Elle n'a pas eu peur. Elle a pris son fusil et une lampe électrique et a visité le grenier : personne, et elle entendait toujours marcher !

Mon beau-père manifeste même sa présence par un parfum.

Cette histoire assez étrange remonte à l'époque de sa mort. La veille de l'enterrement, en entrant dans sa chambre, nous avions remarqué, ma femme et moi, une odeur de décomposition. Cela nous avait un peu angoissés. Or, le lendemain, toute la maison, mais surtout sa chambre, embaumait le lilas, parfum qu'il aimait beaucoup. Les gens qui vinrent à l'enterrement notèrent également ce phénomène.

Il arrive que ma femme, un an après la mort de son père, sente tout à coup près d'elle cette odeur de lilas.

AUTRES PHÉNOMÈNES LIÉS A LA MORT

Des jours, voire des mois avant son décès, une personne, même si elle est alors en pleine santé, « sent » parfois la mort.

Cette odeur ressemble un peu à celle d'un vase humide. Ma femme peut ressentir ainsi un décès longtemps à l'avance.

À l'époque où elle travaillait, elle me dit : « Aujourd'hui, dans le bureau de mon directeur, ça sentait mauvais, ça sentait la mort. » Deux mois plus tard, il mourait. Quelques semaines avant que son père ne décède, elle est entrée un matin dans sa chambre. C'était l'été, il faisait si chaud que toutes les fenêtres et les portes de la maison étaient ouvertes nuit et jour. Elle a noté cette odeur fétide, une odeur de moisissure et m'a annoncé tristement que son père allait mourir.

Il est possible que tous les phénomènes avant la mort soient des manifestations symboliques annonciatrices du décès. Mais après ce ne sont plus des hallucinations de la perception extrasensorielle.

Même ma petite-fille Aurore, à l'âge de quatre ans percevait déjà ce phénomène. Après la disparition d'un ami de ma fille Yolande, on entendait la nuit quelqu'un marcher dans la maison, monter les escaliers et frapper à la porte d'entrée, alors qu'il n'y avait personne. Aurore m'a demandé le matin si quelqu'un était venu à la maison cette nuit-là.

Lorsque mon beau-frère Albert est mort, il y a déjà une quinzaine d'années, toute ma famille était là : mon père était un grand sceptique. Ensemble ou séparément, nous l'avons vu apparaître devant nos yeux. Le lendemain même de sa mort, notre chien a aboyé longuement devant la porte de notre maison, sans raison. Quelques instants plus tard, ma femme, qui était en train de faire la vaisselle, a entendu un fracas de verre brisé dans son buffet. Elle a cru qu'une des planches sur lesquelles étaient posés une centaine de pots de conserve s'était effondrée. Elle a ouvert la porte du buffet doucement. Tout était en ordre.

Pendant deux ou trois mois, les phénomènes n'ont pas cessé. Albert faisait tomber les réveils des tables de nuit. Dès que ses enfants les remettaient à leur place, il les jetait à nouveau par terre. Il ouvrait les portes, et lorsque ma sœur les calait avec des chaises, il faisait tomber ces dernières. Alors que les portes et les fenêtres étaient fermées, les rideaux bougeaient comme agités par le vent. Nous avons souvent senti sa présence dans la salle de séjour. Nous avons vu le chien poursuivre, en aboyant, cet hôte invisible. Nous avons été obligés d'emmener ma sœur dans une maison de repos. Ses nerfs craquaient.

Une question m'avait été posée : « Ne pensez-vous pas que les manifestations physiques puissent être le fait des vivants ? »

Certaines d'entre elles le sont incontestablement. Mais ce que j'ai vu en état de dédoublement m'a apporté la preuve que les morts peuvent parfois agir dans le monde des vivants. Il est difficile d'expliquer ce que l'on sent, et ce que l'on voit, à ceux qui ne vivent pas cette expérience.

Si je n'avais jamais vu et entendu parler de la mer, que je ne connaisse que l'eau s'échappant du robinet et que vous me racontiez les vagues, les sensations que vous éprouvez en nageant, en plongeant sous l'eau, comment pourrais-je appréhender cette réalité qui n'en serait pas une pour moi ?

*
* *

Mme C... de sa table de repas, « voit » sur le toit de l'immeuble d'en face, une tête de mort, l'espace d'un court instant. Quelques jours après, elle m'en parle, et j'interprète ainsi cette vision : « Il se peut que quelqu'un soit mort dans cette maison, ou qu'un habitant de cet immeuble soit mort ailleurs. »

En effet, Mme C... apprend le lendemain qu'un homme qu'elle connaissait de longue date, habitant dans la direction de la vision, était décédé deux jours avant dans sa maison de campagne.

XXIII

FANTÔMES ET HANTISES

Pour les personnes non avisées, les fantômes sont du domaine des hallucinations. Chez les spirites, selon Allan Kardec, ce sont les âmes de ceux qui ont vécu sur la terre, ou sur d'autres planètes. Ils sont nommés esprits, et il leur est attribué le pouvoir de se manifester dans certaines conditions, par des apparitions, déplacement d'objets, bruits, etc.

Les spirites prétendent que les esprits ont besoin d'un médium comme intermédiaire pour se manifester.

En étudiant les phénomènes d'origine surnaturelle, j'ai été amené à distinguer le phénomène fantomatique sous l'aspect de hantises de nature télépathique, ou sous la forme de projection volontaire ou involontaire, et également par manifestation de défunts.

FANTÔME HANTEUR

Il possède des natures différentes :

Un médium malveillant peut apparaître dans une habitation, ou en tout autre lieu, avec l'intention d'effrayer. Voici un exemple de cet ordre :

Une amie, Mme Anie, venait d'acheter une petite propriété dans la région de Lyon, pour une somme d'argent dérisoire, et s'y installa avec son fils.

Dès la première nuit, vers vingt-trois heures, son attention fut attirée par des craquements dans l'escalier qui conduisait à sa chambre. Croyant qu'il s'agissait d'un malfaiteur, elle frappa contre le mur de sa chambre, qui était contiguë à celle de son fils, pour appeler ce dernier à la rescousse. Après vérification, ils constatèrent que personne ne s'était introduit dans la maison. Ils se remirent au lit et dormirent du sommeil du juste.

Le lendemain, ils parlèrent de cet événement, et mirent ce bruit sur le compte d'une exagération sensorielle.

Cependant, la seconde nuit, à la même heure, les bruits se firent à nouveau entendre. Mme Anie et son fils, qui tendaient l'oreille, se précipitèrent tous deux vers l'escalier, et allumèrent la lumière ; ils constatèrent avec effroi, que, non seulement les bruits de pas persistaient dans l'escalier, mais en plus, les marches de bois accusaient une pression, comme si un individu montait. Ils restèrent figés de stupeur, tandis que les bruits de pas continuaient, pour disparaître ensuite dans une chambre voisine.

Cette nuit-là fut très agitée. Le lendemain matin, Mme Anie installa son lit dans la chambre de son fils. Ensemble, pensait-elle, ils auraient moins peur. (Son fils avait, à cette époque, une trentaine d'années.)

En réalité, la troisième nuit fut plus épouvantable que les deux précédentes. Toujours à la même heure, ils entendirent les bruits de pas, et décidèrent de rester chacun dans leur lit. Les bruits de pas se rapprochèrent jusque devant la porte de leur chambre, qui se trouvait fermée. Puis il y eut une dizaine de secondes de silence, à la suite desquelles une apparition fantomatique pénétra dans leur chambre en traversant la porte. Mme Anie et son fils n'en crurent pas leurs yeux et restèrent assis sur leur lit, sans réactions, tandis que le fantôme, traversant la chambre à pas lents, disparut en passant le mur opposé à la porte.

Dès le lendemain, Mme Anie décida de faire venir un prêtre pour exorciser la maison.

Aux environs de minuit, les mêmes phénomènes que ceux de la nuit précédente se manifestèrent. Le prêtre exorciste traversa le bras droit du fantôme, à l'aide d'une longue pointe métallique effilée, semblable à une broche à rôtir, muni d'un petit manche en bois vernis. Un crépitement se fit entendre et une minuscule étincelle de teinte bleue se produisit. Le fantôme disparut aussitôt.

Le lendemain, au matin, la femme de l'un des voisins de Mme Anie, se rendit chez le prêtre, en toute hâte, le priant de venir au plus vite pour aider son mari. « Il est victime d'un mauvais sort », dit-elle, puis elle ajouta : « Au milieu de la nuit, mon mari s'est mis à pousser des cris de douleur qui me réveillèrent en sursaut. J'ai aussitôt allumé la lampe de chevet, et je vis mon mari assis dans notre lit ; ses yeux étaient en partie exorbités, et une impression de terreur marquait son visage... Il n'arrivait pas à articuler un seul mot ; puis je vis son bras affreusement déformé par une volumineuse enflure, fortement colorée, marron, presque noir... Affolée, je le questionnais sans cesse, mais il ne pouvait pas me répondre. Je me suis alors levée pour aller chercher un médecin. Je m'apprêtais à partir, lorsqu'il me dit ces mots :

« C'est un prêtre qu'il me faut ! Un prêtre... surtout pas de médecin ! »

Sur sa demande, j'ai attendu jusqu'à ce matin pour vous prier de venir... »

Le prêtre se rendit chez cet homme, jugea par lui-même de l'état dans lequel se trouvait le personnage, et lui dit : « Ce n'est pas un prêtre qu'il vous faut, mon fils, mais un médecin. » L'homme, visiblement contrarié, lui répondit : « Non mon Père, vous seul pouvez m'aider... » Puis il fit ce curieux récit :

« Ça fait plusieurs années que je désire acheter la propriété voisine, mais mes faibles moyens financiers ne me le permettent pas ; alors, je m'efforce de faire partir chaque nouveau propriétaire, afin que cette propriété me soit vendue à un prix qui me soit abordable. Mais, cette nuit, il s'est passé quelque chose, et je me suis brusquement retrouvé dans mon corps physique, dans l'état où vous me voyez actuellement... Aidez-moi ! »

170

Bien que le prêtre, en toute connaissance de cause, essayât de récupérer par des prières l'imprudence de ce malheureux pécheur, il n'obtint aucun résultat positif. Le médecin fut appelé ; nous apprîmes, un mois plus tard, que ce fut par « miracle » qu'il retrouva l'usage de son bras, lequel, en plus de son apparence disgracieuse s'était, par la suite, paralysé.

HANTISE D'ORIGINE RÉMANENTE

De même que le barreau d'acier soumis à l'action d'un courant électrique conserve une accumulation énergétique produisant « l'aimantation », tous les objets conservent le souvenir de ce qu'ils ont perçu et peuvent, en certains cas, reproduire une scène du passé, en la projetant dans l'espace, produisant ainsi un phénomène fantomatique.

La psychopathotactie n'est, en grande partie, autre chose que certaines perceptions par le médium de scènes du passé, emmagasinées par un objet.

Il arrive fréquemment que des cas de hantises soient provoquées par la présence d'une jeune personne et cela, de façon inconsciente, ce qui entre dans la catégorie des poltergeists (1), bruits anormaux, chocs, déplacement d'objets, craquements, projections de pierre. Des fenêtres ou des portes peuvent parfois s'ouvrir et se refermer seules ; on entend des rires, sanglots, chants, murmures, il y a des sensations de mains glacées qui parcourent le corps des personnes présentes, des pressions sur le corps des victimes, des traces sur les murs, des incendies spontanés, etc.

Je me souviens du cas d'une femme d'une quarantaine d'années, qui m'a demandé de l'aider pour les raisons suivantes.

Elle était réveillée pendant la nuit par une pression exercée sur son corps. « J'ai l'impression, disait-elle, qu'une personne

(1) Poltergeist, de l'allemand, Polterer : tapageur, et de Geist : fantôme. — C'est-à-dire, « fantôme tapageur ».

m'étouffe avec le poids de son corps... Je la sens respirer et me comprimer, sans que je puisse me dégager. La pression exercée est réelle, car je me sens m'enfoncer dans mon lit, et peux constater les bourrelets que forme le matelas, de chaque côté de mon lit. » Puis elle ajouta : « Afin de m'assurer que je n'étais pas victime de mon imagination, j'ai demandé à ma fille de venir dormir avec moi, et elle put constater que ce que je disais était réel ; elle sentit mon corps s'enfoncer dans le lit, et entendit le bruit caractéristique que produit le sommier dans ces moments-là. » Je procédai alors à une étude de ce phénomène, et me rendis compte qu'il ne s'agissait pas d'un acte psychique, produit par un personnage mal intentionné, mais simplement d'une action psychique inconsciente de sa fille. Il m'a suffi de « dégager » sa fille, pour que cette brave personne retrouve un parfait sommeil. (Voir le chapitre VI, « le Dédoublement ».)

En état de dédoublement, un médium peut percevoir le corps éthéré produisant ces phénomènes, volontairement ou involontairement, provenant d'un être vivant ou défunt. Le plus souvent il s'agit de phénomènes de production humaine.

Si la forme éthérée est d'origine humaine, elle peut se présenter sous différentes formes, auxquelles j'ai déjà fait allusion à propos du dédoublement. Elle peut être perçue spontanément, si sa luminosité est suffisante, et si le lieu dans lequel elle se présente est obscur, ou suffisamment sombre. Avec un bon entraînement, elle peut également être perçue à la lumière du jour. (Voir également les chapitres XXXIV, « l'Envoûtement », et XXXVII, « Possession ».)

XXIV

RÉINCARNATION

En ce qui concerne la vie après la mort, des études scientifiques commencent à vérifier les connaissances dont la source se perd dans la nuit des temps. Mais en ce qui concerne les vies antérieures, c'est-à-dire, avant la naissance du corps physique d'un individu, pratiquement aucune observation scientifique valable ne semble avoir été faite.

Les quelques pages qui suivent ont pour objectif, non pas de prouver l'existence des vies antérieures, mais simplement de donner un aperçu de ce qui peut être obtenu par l'information paragnostique.

De nombreuses études ont déjà été faites sur les vies antérieures, en utilisant l'hypnose. Personnellement, j'utilise la psychopathotactie pour les raisons suivantes.

Au premier siècle de notre ère, le gnosticisme (système de philosophie religieuse, dont les partisans pensaient parvenir à une connaissance complète et transcendante de la nature et des attributs de Dieu), affirmait que chaque particule de la matière (Eon), était douée d'esprit émanant de l'intelligence éternelle.

Ces éons avec lesquels, dans certaines conditions, l'esprit humain peut entrer en communication, sont susceptibles d'augmenter, « de réveiller » considérablement nos connaissances « endormies ».

173

En tenant compte de mes expériences faites au sein de la matière (j'en ai cité un exemple, parmi tant d'autres, au début de cet ouvrage), je pense que les phénomènes et les expériences que la science n'est pas encore en mesure de contrôler peuvent tout de même avoir une valeur appréciable.

Selon mes observations, je suis tout à fait d'accord avec les théories des gnostiques à propos des éons. Il est facile de comprendre que chaque atome, chaque électron, possèdent, des propriétés spirituelles, dont celle d'enregistrer et de mémoriser le souvenir du vécu depuis l'origine du monde, environ 15 milliards d'années peut-être ; comment ne pas accepter qu'ils soient pour quelque chose dans les informations paragnostiques que reçoivent les êtres sensibles ?

L'homme possède en lui, un esprit, un éon supérieur qui domine, directement ou indirectement, les éons qui sont contenus dans les particules constituant son corps. Dans un langage plus actuel, les électrons et certaines zones de l'atome sont doués d'un esprit, d'une intelligence, non seulement capables d'enregistrer des informations, mais aussi de correspondre entre eux, de communiquer les informations, et même d'agir en certaines circonstances. Ils peuvent également passer du corps d'un individu dans celui d'un autre. C'est le cas, par exemple, de la suggestion par voie télépathique. D'ailleurs, nous baignons tous dans un océan d'éons qui nous imprègne plus ou moins. C'est pour cela que Jésus disait : « Je suis en toi, tu es en moi, nous sommes en Dieu. »

Alors, en partant du fait démontré que, si l'on prélève une particule de matière sur un objet, et que celle-ci puisse, entre les mains d'un sensitif, « raconter » toute l'histoire de l'objet, pourquoi refuser de croire, qu'une particule faisant partie du corps humain, lui-même ensemble de particules, donne des informations sur l'Esprit indestructible qui habite un corps humain ?

La Psychopathotactie offre la possibilité, pour des sujets entraînés, de donner ces informations.

XXV

ÉTUDE D'ANTÉRIORITÉ, AVEC RÉTROSPECTIVE
DE LA VIE PRÉSENTE

Madame X...
A Tremblay-lès-Gonesse,
Seine-et-Oise.

INFORMATION PARAGNOSTIQUE

« Je vois la maman de Madame X repasser du linge, des
bleus de travail. Elle possède une petite boîte avec, sous le
couvercle, une photographie... Elle la regarde de temps à
autre. Cette maman élève des poules et des lapins.
Je la vois... bien en arrière dans le temps, en train de
couper des troncs d'arbres à la hache. Je vois souvent
apparaître un atelier avec un homme qui travaille le bois. Cet
homme est bien connu du sujet. Il a des cheveux blancs,
dégarnis. Je vois maintenant une région de campagne avec un
genre de château, une femme vêtue d'une robe longue de
teinte sombre, et portant sur la tête une petite coiffe, je crois
qu'il s'agit de votre maman... Elle s'avance vers une petite
voiture tirée par un cheval. Il s'agit d'un marchand ambulant,
portant la réclame d'un négociant en café... « Aïffa ». Je la
vois maintenant plus jeune, 16/18 ans, cheveux châtain-
acajou, assise sur une chaise empaillée, elle relève légèrement
sa robe pour lacer ses chaussures blanches qui montent assez
haut. Sa robe claire est couverte de petits motifs décoratifs

175

(dessin à l'appui)... Je la revois à nouveau vers l'âge de 16/18 ans, elle est vêtue d'une robe blanche avec un col assez ouvert... Je la vois maintenant vers l'âge de sept ans, aller à l'école avec une petite mallette, elle porte une petite robe blanche avec motifs, je crois que ce sont des fleurs, mais je n'en suis pas certain. Je la vois encore petite fille, sur un chemin bordé de blé. Il y a un homme en tenue de campagne avec un gilet foncé, il vient au-devant d'elle et l'embrasse sur le front... je la vois bébé sur le bord d'un lit très haut... sa maman, assise à côté d'elle, en robe longue, très large vers le bas, de teinte tirant sur le gris, avec un tablier très foncé, maintient son biberon... Je perçois la maman enceinte... sa robe de grossesse est noire, elle porte sur le devant un tablier à bavette... »

Ce retour dans le passé ayant été confirmé exact par la maman de madame X, j'ai poussé plus loin cette étude, et je suis passé dans le domaine étrange de la « vie antérieure » à laquelle il n'est pas impensable de croire, puisque cette étude a été exécutée sur « l'esprit » ou l'âme de cette personne, et non sur un contact « physique », à la demande de sa fille, et avec son consentement.

Je ne relate pas les observations faites sur la vie antérieure qui en découlent, pour laisser place à celles qui vont suivre, bien plus motivantes.

XXVI

ÉTUDE DE VIES ANTÉRIEURES

Cette étude a été réalisée avec la collaboration de M. Roger Dérouillat (1), en partant du principe que si, par la psychopathotactie (2), il est possible à un sensitif doué de cette faculté, de raconter le passé d'un individu, en remontant le temps jusqu'à la naissance, pourquoi ne serait-il pas possible d'aller au-delà ?

Il est bien évident que les informations ainsi obtenues, avant la naissance d'un individu, ne peuvent pas être considérées comme une pure vérité, étant donné qu'aucun contrôle scientifique ne saurait être effectué.

Nous devons donc considérer cette étude comme une inquiétante curiosité.

Villeparisis, le 23-10-1973.

Etude des réincarnations successives, par la psychopathotactie, avec comme contact une mèche de cheveux appartenant à M. Roger Dérouillat.

Les antériorités sont à rebours, c'est-à-dire que, la première décrite se rapporte à la dernière qui a été vécue, juste avant l'incarnation présente.

---

(1) Réalisateur du film « Les Voyants » (France, 1974), auquel j'ai participé.
(2) Faculté de raconter l'histoire d'un objet, ou le passé d'une personne par le contact tactile.

Première vie antérieure

« Votre esprit, sous forme d'une onde tourbillonnante, s'incorpore au moment de la conception, dans le corps d'une jeune femme romaine, où il prend corps.

Le jour de votre naissance, la jeune maman apparaît dans un riche décor bourgeois... dehors le soleil, placé à environ 45° à l'est dans le ciel, brille et répand une forte chaleur.

Votre père est notable de la ville, probablement un conseiller. Quelques nobles personnages de la ville viennent admirer le nouveau-né. Les années passent... Une bonne éducation vous est donnée... vous apprenez le maniement des armes, et devenez officier attaché à la défense de la ville. Vous avez alors entre vingt et vingt-cinq ans, et apparaissez sous la forme d'un homme blond, de carrure vigoureuse, très musclé, dont les yeux marron et verts à la fois font rêver plus d'une jeune fille ; cependant, vous ne semblez guère attiré par ces jolies créatures, car jusque-là, je ne vois aucune jeune fille dans votre vie.

Le commandement d'une armée vous est attribué officiellement, sur la place du Palais de la ville... La fille d'un haut fonctionnaire de la ville tombe follement amoureuse de vous mais, malheureusement pour elle, vous restez indifférent, ce qui semble blesser outrageusement cette jeune fille dont, il faut bien l'avouer, la beauté est assez discutable, ce n'est pas une merveille.

Vous partez pour la guerre... Vous traversez avec beaucoup de difficultés des montagnes accidentées. Des chars tirés par des chevaux ont grand peine à avancer... De temps à autre, des attaques surprises se produisent, ce sont des sortes d'embuscades que tendent des groupes de soldats gaulois qui, d'ailleurs, se retirent assez vite. Il me semble que vous traversez les Alpes...

Vous arrivez maintenant dans une région moins montagneuse, où vous êtes attendu, non seulement par des troupes gauloises, mais aussi, ce qui me semble étrange, par des

178

hommes au teint très bronzé et des Noirs, contre lesquels vous devez aussi combattre.

Dans cette singulière bataille, les hommes bronzés, ainsi que les Noirs, utilisent quelques éléphants...

Le combat est d'une violence extrême, les prisonniers sont exécutés sur place, impitoyablement.

Les éléphants écrasent les blessés, et même des combattants. Les chevaux sont pris de frayeur devant ces animaux imprévus, et les soldats romains ne sont plus maîtres de leurs chars... Les hommes noirs coupent les oreilles des Romains, pour en faire des colliers... Le sol est couvert de sang, et les ennemis arrivent de partout... Vous donnez l'ordre de retraite, et l'ennemi harcelle vos soldats... Il arrive maintenant des renforts romains, il était temps, sinon vous seriez tous massacrés par la multitude des soldats ennemis.

Ordre vous est donné de vous replier, pour laisser la place aux troupes fraîches.

La fille du haut fonctionnaire est prévenue de votre retour, et vous attend sur la place de la ville... Vous ne répondez pas à son salut...

Le temps passe. Quelques semaines, ou quelques mois ? je ne sais, puis vous êtes appelé au Palais, où vous subissez un interrogatoire devant un tribunal, où se trouvent de nombreux personnages, dont certaines paraissent visiblement hostiles. Vous êtes accusé d'actes malhonnêtes sur la jeune fille précédemment citée, qui est présente à l'audience, accompagnée d'un officier, qui vous accuse de conspirer contre le pouvoir. La jeune fille semble avoir mis tout en œuvre pour vous perdre, et bien que vous ayez une très bonne réputation, vous êtes placé sous mandat d'arrêt.

Quelques jours plus tard, cinq cavaliers romains en tenue militaire, revêtus d'une cape noire, l'épée à la ceinture, arrivent sur l'arène d'un amphithéâtre, où des hommes dévêtus sont attachés chacun à un poteau... Vous figurez parmi eux... Les cinq cavaliers font cercle autour de vous. Les gradins sont chargés d'un public avide du spectacle qui se prépare... L'un des cavaliers descend de sa monture et vous libère, tandis que les bûchers s'allument sous les pieds des condamnés... Pendant que les fagots crépitent, vous êtes entraîné sous la voûte de l'une des nombreuses galeries qui entourent l'arène, où un groupe de trois respectables Romains, élégamment drapés, attendent, à une dizaine de mètres. Des militaires en armes sont placés en retrait. A votre grande surprise, les notables vous adressent une courtoise réception. Un somptueux uniforme militaire vous est remis sur place... vous revêtez cet uniforme, une accolade du plat de la main vous est donnée par l'une des personnalités présentes puis, sans autre forme de cérémonie, la haute personnalité vous présente trois chefs militaires qui s'inclinent devant vous. Le grand personnage discute quelques instants avec vous, puis un cheval noir vous est remis avec le commandement d'une troupe de soldats en armes, postés en dehors du théâtre.

Une longue marche de plusieurs jours vous conduit dans un camp militaire situé près d'un port... Vous y bivouaquez avec vos hommes... Le lendemain, vous vous embarquez avec vos hommes sur des navires à voiles qui prennent le large... Les rameurs sont captifs ; il ne s'agit cependant pas de galère, mais de navires militaires... Vous naviguez assez longuement...

J'assiste à présent à une bataille navale... Vos trois navires se trouvent en face de cinq bateaux beaucoup plus petits que les vôtres, et de formes différentes... L'un d'entre eux éventre l'un de vos navires en le heurtant au flanc. Tandis que ce bateau s'enfonce dans les flots, les soldats romains se jettent à l'eau, mais, contrairement à ce que nous pourrions croire, ces hommes ne regagnent pas les navires romains, mais se dirigent vers le bateau ennemi le plus proche, et tentent l'abordage... La plupart d'entre eux trouvent la mort dans les flots.

Ce carnage avait pour but de distraire ce bateau ennemi, pendant que le vôtre manœuvrait pour le couler en le heurtant de côté...

Votre navire côtoie maintenant un bateau adverse... c'est l'abordage... un violent combat a lieu sur le bateau ennemi, dont les hommes finissent par succomber ; ils sont vêtus de peaux d'animaux, principalement de teinte brune. Leurs cheveux sont longs, ces hommes ressemblent à des Tartares.

Après les combats, vos soldats achèvent les blessés ennemis... en voici un qui essaie de se relever... un soldat romain lui brise les épaules, en le frappant à coups de lame...

D'autres blessés gisant sur le bateau sont transpercés à coups d'épée... Vous glissez malencontreusement sur une mare de sang, et vous vous brisez l'épaule gauche... des soldats vous aident à vous relever. La souffrance marque votre visage... vous ne pouvez alors que contempler le reste des combats.

De retour au pays, vous devenez maussade, ne pouvant plus être utilisé activement à la vie militaire. Un poste administratif vous est alors confié...

Vers l'âge de quarante ans, vous vous mariez à une jeune femme romaine aux cheveux blonds, et vous vous retirez dans une région vallonnée, où vous faites exploiter par de nombreux esclaves une affaire agricole. Vous quittez votre enveloppe charnelle vers l'âge d'environ soixante ans, à la suite d'une crise cardiaque, semble-t-il.

Alors survient une étrange fantasmagorie ; vous revivez toute votre vie à une vitesse telle qu'elle n'en permet pas la transcription... vous percevez des défunts... puis c'est la secousse de l'agonie... Une partie de vous-même quitte le corps charnel. A ce moment précis, des corps semi-matériels se précipitent sur votre cadavre et s'y incorporent... Vous flottez au-dessus de votre corps et essayez de vous y réintégrer, sans résultat... vous semblez mort, cependant il reste une partie subtile qui semble vouloir ne pas quitter le corps physique, et tient son siège dans le foie... Puis cette partie subtile se détache du cadavre, mais reste près de lui... une foule d'entités s'introduisent dans le cadavre, il y en a tant qu'elles s'amoncellent tout autour et au-dessus... Vous regardez les amis et votre famille pleurant votre dépouille mortelle... vous essayez de les contacter, mais sans résultat, ils ne vous perçoivent pas, alors vous vous élevez au-dessus de la terre... Je vous perds de vue... je ne vois plus rien... »

Deuxième vie antérieure

« Votre esprit m'apparaît sous la forme d'une onde tourbillonnante, aux couleurs très vives, où prédominent le violet et l'or... Il émet un bruissement particulier, semblable au bourdonnement de l'abeille... Votre esprit n'est pas seul, une dizaine d'autres l'accompagnent, et tournent ainsi que le vôtre, autour d'un couple, auquel il s'unit au moment « psychologique »...

La scène se passe dans une caverne qui débouche sur le petit plateau verdoyant d'une roche escarpée, dominant une épaisse forêt. Le ciel bleu, ensoleillé, est parsemé de nuages. Un petit vent frais et doux parcourt une partie de la caverne.

Votre père est de forte taille, très musclé... ses cheveux roux se confondent avec sa barbe et ses moustaches, masquent un visage cuivré... Le corps de cet homme est très velu.

Votre mère est également fort musclée, et possède de longs cheveux roux... son corps bronzé est également velu. Les yeux des deux personnages sont bleus.

Vous naissez dans la caverne... dehors il fait froid, c'est l'hiver. Un feu de bois est allumé dans la partie de la caverne où circule un petit courant d'air, qui chasse la fumée vers l'extérieur...

Vos parents sont vêtus de toile et de peau... vous êtes déposé sur des fourrures au fond de la caverne, où plusieurs personnes sont accroupies..

De temps à autre, des hommes et des animaux viennent rôder près de la caverne, il s'ensuit un combat dans lequel, généralement, l'ennemi prend la fuite.

Vous avez à présent une dizaine d'années, et partez avec votre père et cinq hommes de la tribu... Vous suivez votre père de très près... Arrivé dans la vallée, vous vous mettez à l'affût avec votre père derrière un buisson... A deux pas de là, un lion passe et entre à l'intérieur d'une grotte... votre père a vu cet animal passer, mais ça ne semble pas l'émouvoir... Ah ! le lion ressort de la grotte, et passe à nouveau à quelques pas de vous, en rugissant, et disparaît dans les fourrés... Voici qu'apparaît un sanglier de forte taille... il est suivi d'une laie et de quatre marcassins... Ils arrivent par un petit sentier qui passe près du buisson où vous êtes tapis... Dans un mouvement d'ensemble, les cinq hommes et votre père bondissent, sortant du buisson, et attaquent simultanément le sanglier... Les pics lacèrent l'animal, qui se défend violemment. L'un des hommes, armé d'un os très long et effilé, crève les yeux du sanglier qui fait des bonds terribles avant de s'effondrer... La laie et les marcassins ont pris la fuite.

L'animal est transporté à l'aide d'une barre de bois, autour de laquelle sont attachées les pattes du sanglier... La petite troupe remonte dans la montagne en poussant des cris bizarres...

Arrivés dans la caverne, les hommes déposent le gibier sur le sol, les femmes se précipitent vers les chasseurs. Elles dansent en piétinant sur place... L'animal est ensuite découpé à l'aide de poignards en bronze... Chaque habitant de la caverne déchire un morceau de l'animal, qu'il mange cru... Ce qui reste du festin est placé sous des cendres.

Le temps passe très vite, et vous êtes devenu un homme. Vous vous liez avec une jeune fille de la tribu...

La caverne devient trop petite, seule reste disponible une salle. L'eau suinte de la voûte, forme des stalactites, ce qui décore le plafond de façon magnifique, mais doit rendre cet endroit inhabitable.

Vous construisez une hutte, à l'aide de roseaux coupés dans la vallée marécageuse... Ensuite vous l'enduisez de terre détrempée d'eau et construisez une enceinte avec des bois épineux, pour protéger la hutte contre les animaux, les bêtes féroces, et éventuellement des hommes.

Vous vivez heureux avec votre femme, la vie semble sans histoire... La nourriture est abondante dans cette région ; poissons, cerfs, bœufs, chevreuils, sangliers, noix, marrons, pommes, etc.

Vous chassez le renard et l'ours brun pour leur peau... Vous faites le commerce des peaux avec des hommes qui vous donnent en échange, du vin, des tissus fabriqués avec des fibres végétales, et aussi du blé ; vous apprenez à en confectionner une pâte, que vous cuisez sur des pierres préalablement portées à une température convenable.

Les rencontres se font dans une petite clairière près d'une rivière, située dans la vallée. Pour vous y rendre, vous suivez les petits sentiers sur les arêtes des montagnes et des collines, pour éviter les rencontres surprises car, dans ces conditions, vous avez vue sur les deux versants.

Aujourd'hui, il se passe quelque chose de désagréable ; sur le chemin du retour, vous apercevez une épaisse fumée venant de chez vous... Vous enterrez vivement le produit de votre commerce, et vous courez ensuite à toutes jambes... Arrivé sur les lieux, vous avez une désagréable surprise ; des hommes sont venus et ont brûlé la hutte, les entrées de la caverne ont été enfumées... tous les membres de la tribu assassinés, votre femme disparue... votre désarroi est grand... Vous partez comme un fou à la recherche de votre femme... Vous parcourez la région pendant des jours et des jours puis, désespéré, vous retournez sur les lieux où se trouvait votre hutte... A votre grande surprise, votre femme est là...

Vous décidez ensuite de quitter la région trop riche à présent en douloureux souvenirs.

Vous partez alors à l'aventure, à la recherche d'un endroit sûr... Vous parcourez avec votre femme des régions plus ou moins désertiques... Soudain, une équipe de chasseurs vous entourent... Ils ne montrent aucune agressivité et vous invitent, par des gestes, à les suivre...

Après avoir parcouru quelques kilomètres, vous arrivez dans un endroit assez accidenté... puis en haut d'une montagne, où se trouve un mur d'enceinte... Vous êtes conduits à l'intérieur et présentés à des couples de vos âges, qui s'empressent autour de vous, vous offrent une boisson dans une coupe métallique, que vous partagez avec votre femme... Ces gens ne parlent pas votre langage, mais vous les comprenez fort bien... Vous vous installez librement chez eux...

Je pense que vous avez été recueillis par des Etrusques, car ces hommes, en apparence pacifique, ont en ce lieu une véritable industrie...

Vous allez avec des hommes à la recherche de minerai... En réalité, ce ne sont pas des minerais que vous recherchez, mais du fer natif, que vous trouvez en assez grande quantité dans la montagne. Ce fer natif se présente sous la forme de boules difformes de tailles très variées, allant de la grosseur d'une noix à celle d'un éléphant. Il s'agit probablement là d'éléments d'origine météorique.

Votre femme donne naissance à une petite fille blonde. La vie semble assez agréable pendant plusieurs années... Que se passe-t-il ?...

Vous êtes dans la forêt et entendez des cris de terreur venant de votre village... Vous abandonnez votre travail et, ainsi que les autres travailleurs qui sont avec vous, vous courez en direction du village, ayant en main une épée de fer, que vous emportez toujours avec vous... Vos compagnons de travail sont également armés. Vous arrivez aux abords du village ; là, un spectacle effroyable s'offre à vos yeux... Des soldats romains massacrent les habitants, la dernière résistance est à sa fin... La rage au cœur, vous vous lancez avec vos camarades dans un combat sans issue... Vous lancez des appels déchirants, dans l'espoir de retrouver votre famille... Vous combattez courageusement... Attention ! ! ! Il est trop tard, vous recevez un javelot dans le dos qui vous fige sur place, un Romain, qui se trouve en face de vous, vous enfonce son épée en pleine poitrine... Vous vous écroulez...

Vous quittez votre corps et errez au-dessus du village en cendres, à la recherche de votre fille et de votre femme.

Comme convenu, je ne développe pas toutes les vies successives, mais celles ayant un certain intérêt d'étude.

Troisième antériorité

« Homme noir vivant à l'état sauvage. »

185

Quatrième antériorité

« Paysan asiatique, vivant dans un décor de montagne couverte de champs, de verts pâturages ; des glissements de terrains laissent apparaître de grandes surfaces de terre, ocres, rouges et jaunes. »

Cinquième antériorité

« Curieux personnage vêtu d'une combinaison collante, qui ressemble à du caoutchouc, avec sur la poitrine un cercle contenant des signes que je ne saisis pas très bien... Vous utilisez des cubes d'environ un centimètre cube, qui ressemblent à du cristal, pour enregistrements phoniques... Vous faites des voyages interplanétaires.

Je vois par vos yeux un paysage assez hétéroclite... Une berge constituée de minéraux d'un jaune paille, semblable à du sable mélangé à du gravillon... Cette berge est baignée par une eau bleue très limpide, dépourvue de vague.

Il y a sur la berge une élévation constituant un mont demi-sphérique, dont la base est entourée d'une ceinture de cuivre. Sur la partie supérieure, au-dessus de la ceinture de cuivre, une splendide végétation arboriforme est entretenue. Les plantes, d'un vert satiné, sont exemptes de poussière, comme si elles étaient lavées. Elles atteignent plus ou moins dix mètres de hauteur, et ne sont pas constituées de bois, elles ont la même apparence que le poivron vert.

La figure n° 1 représente, vue de face, le mont avec sa ceinture métallique.

La figure n° 2 représente le mont, vu de dessus.

La figure n° 3 représente l'une des plantes en question.

Je suis à présent en face de vous, et vois par mes « propres yeux ». Vous êtes, en effet, curieusement vêtu, d'une combinaison grise, collante, avec sur la poitrine, un cercle contenant un dessin qui représente un dragon de couleur verte... Votre accoutrement ressemble à celui d'un homme grenouille, les

186

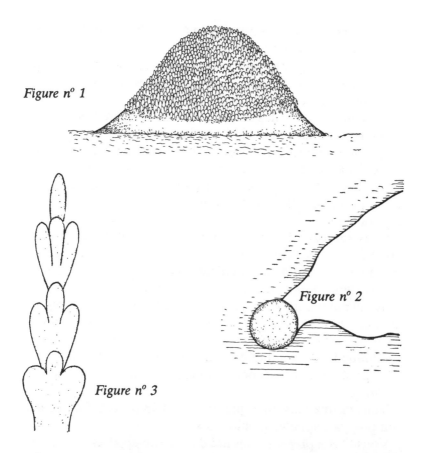

Figure n° 1

Figure n° 2

Figure n° 3

palmes étant remplacées par des bottes de teinte gris-argent. Je ne puis comparer votre taille avec la mienne, du moins pour le moment. Vous vous trouvez au pied du mont, au bord de l'eau. Je me permets d'ouvrir ici une parenthèse au sujet de cette étendue d'eau ; en effet, cette grande surface d'eau, semblable à un océan parsemé d'îles, est parfaitement plate, sans aucune vague, sa transparence laisse rêver, mais ce qu'il y a de plus curieux, c'est la présence dans ces eaux, aux alentours du rivage, d'une grande quantité de crapauds et de tortues... ces animaux sont d'assez forte taille. Vous levez les yeux, et balayez du regard l'étendue de la végétation... puis vous exécutez un demi-tour sur vous-même... Vous vous dirigez vers une petite fusée située à une vingtaine de mètres, sur une partie plate au pied du mont. Vous entrez dans cette fusée en faisant glisser une plaque au-dessus de l'appareil qui s'élève maintenant lentement et verticalement... il tourne sur lui-même pour chercher sa direction, ce qui laisse supposer que les ailerons visibles sur la queue de l'appareil ne servent qu'à maintenir la stabilité lorsque l'appareil est posé sur le sol. La partie arrière de l'appareil s'illumine en rouge, sur une faible distance, ce qui le fait ressembler à un cigare allumé... Une faible lueur bleue augmente au fur et à mesure que la fusée prend de la vitesse et inversement, la lueur rouge disparaît.

Vous survolez des régions arides... Le ciel est d'un bleu-violet... L'air et l'eau sont si purs, qu'à l'horizon, les cieux et l'océan se confondent, donnant une impression de néant.

Vous vous posez maintenant avec votre appareil, près d'un nouveau mont entouré, lui aussi, d'une ceinture de cuivre. Sur celui-ci, les végétations sont différentes ; il s'agit de sortes de palmiers, d'une trentaine de mètres de hauteur, portant de nombreux fruits, semblables à des noix de coco, mais, portant à l'opposé de la tige un petit feuillage comme c'est le cas pour l'ananas.

Vous visitez ainsi une quantité assez importante de ce que l'on pourrait appeler « cultures ».

Vous êtes à présent remonté dans votre appareil, et quittez la terre pour une direction qui m'est encore inconnue...

Près de la terre se trouve un énorme satellite très impressionnant... vous le dépassez... le ciel est noir, un noir parsemé de points lumineux, d'étoiles et d'autres éléments...

Le temps passe vite... Voici qu'apparaît une petite planète... elle grossit à vue d'œil, ce qui démontre la vitesse incroyable de la fusée...

La surface de cette planète devient maintenant énorme, et j'ai une impression de chute, cela m'est fort désagréable... L'appareil contourne à présent la planète, en s'approchant progressivement... Je distingue maintenant de façon assez nette le sol montagneux, dépourvu de végétation... Il y a quelques nappes d'eau... Nous survolons des villes, dont la plupart des constructions épousent une forme parabolique, ou pyramidale.

Nous nous trouvons maintenant au-dessus d'une étendue blanche d'apparence sableuse, avec quelques collines... L'appareil s'immobilise, puis descend verticalement pour se poser sur le sol... il se lève ensuite à environ cinquante centimètres du sol, et glisse à faible vitesse vers l'une des collines... vous dirigez l'appareil dans un sas incorporé dans la colline, et placez la fusée dans une énorme salle où se trouvent déjà plusieurs fusées de grandeurs différentes... Quelques hommes, indifférents à votre arrivée, travaillent dans ce « garage ». Ces ouvriers ne portent pas de vêtements particuliers, uniquement une simple jupe très courte, et sont nu-pieds. Vous passez dans une salle voisine... des ouvriers et ouvrières, revêtus d'une simple robe, sont au travail ; ils contrôlent avec beaucoup de précautions des plantes déversées par un camion-fusée. Les plantes ainsi contrôlées sont ensuite stockées dans un bâtiment pyramidal.

Vous vous introduisez à présent dans un couloir roulant... et arrivez dans une ville souterraine où tout un monde s'agite ; les hommes et les femmes sont vêtus de longues robes, semblables ou presque, pour les deux sexes, les enfants portent des robes courtes.

Le dessin ci-après donne une meilleure traduction de cette ville souterraine. »

Sixième antériorité

Cette sixième antériorité semble très proche de la cinquième, si l'on se fonde sur les observations techniques qui suivent :

« Des hommes vêtus de combinaisons collantes d'un gris métallique, avec sur leur tête un globe transparent, manipulent de la terre... Ils sont une dizaine, la région est désertique, sans montagne, mais cahoteuse, le paysage est sombre, presque noir.

Un homme, sur un monticule, dirige les opérations effec-

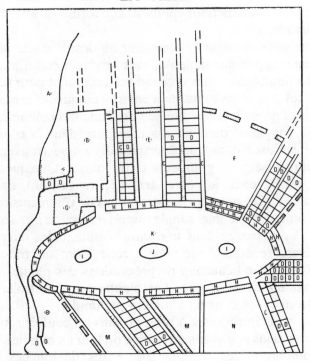

Nomenclature

(A) Extérieur.
(B) Garage des fusées.
(C) Voies.
(D) Habitations.
(E) Surface de jeu.
(F) Parc.
(G) Salle pour conditionnement atmosphérique.
(H) Magasins.
(I) Petits parcs décoratifs.
(J) Pièce d'eau.
(K) Place principale.
(L) Salle de commande du sas.
(M) Jardins.
(N) Place pour les sports.
(O) Sas.

tuées par des hommes qui travaillent le sol à la pelle... On distingue des gravillons noirs, de consistance goudronneuse, ne collant pas à la pelle.

Le soleil n'est pas visible ; seule, une grosse masse gris fer couvre le tiers de l'horizon. Chaque homme élève un petit tas de ce produit de surface, et un petit appareil volant ramasse ces tas, de la même façon que la pelle mécanique de nos jours mais en utilisant le corps même de l'appareil... Le produit est déversé dans un camion de grande capacité, qui s'ouvre sur sa partie supérieure, constituée de deux grands volets. Le travail achevé, le petit appareil déverseur se place à l'arrière du camion, dans une loge prévue à cet effet, et les hommes prennent place à bord... L'appareil s'élève verticalement à une vitesse très rapide, puis tourne un peu sur lui-même, et part en ligne droite à une vitesse inouïe... Le ciel, parsemé de points lumineux, est noir...

L'astre dont je parlais tout-à-l'heure, qui occupait le tiers de la ligne d'horizon, pourrait bien être notre terre, car la partie non masquée par l'ombre portée de la planète que nous venons de quitter, éclairée par la lumière solaire, présente une riche végétation, des bourrelets d'éléments liquides assez impressionnants. Et ce qui me fait le plus penser que je suis dans le vrai, c'est la présence de mastodontes semblables à ceux qui vivaient sur notre terre, il y a bien longtemps... Cependant les continents ne ressemblent en rien aux nôtres.

Je revis à nouveau votre passé, et me trouve dans une usine d'un type bien particulier ; les éléments solides transportés par le camion volant sont déversés dans une vaste salle faisant office d'entonnoir en forme de pyramide tronquée et renversée, et sont acheminés par petites quantités dans une cellule « rayonnante », dans laquelle ils sont dématérialisés. On ne retrouve plus rien. L'énergie qui s'en dégage est dirigée par un tuyau lumineux, dans des appareils très compliqués. Les produits sont des liquides, des corps visqueux, des métaux, des gaz et des corps irradiants.

Il est remarquable de constater qu'il n'y a aucun être vivant à l'intérieur de cette usine.

Mon « esprit » se détache à présent de votre incarnation passée et voit par mes propres yeux « psychiques ».

Vous m'apparaissez dans un décor merveilleux, dans une somptueuse demeure souterraine, plus vaste que celle que vous occupiez dans votre cinquième incarnation. Les murs sont couverts de plaques ressemblant à de l'opaline, et les meubles sont constitués d'une matière ayant l'apparence du marbre, le bois ne semble pas exister.

Vous avez l'apparence d'un terrien actuel, de teint pain d'épice, et vos oreilles sont volumineuses, mais pas démesurément grandes. Vos yeux sont également grands, le double de ceux des terriens actuels, et vos doigts légèrement plus longs que les nôtres.

Vous avez près de vous une femme, probablement la vôtre. Ses oreilles sont plus petites et plus harmonieuses que les vôtres (pardonnez-moi cette remarque) ; le reste du corps est comparable à celui de la terrestre actuelle.

Il est curieux de constater que les femmes de cette époque, sont beaucoup plus coquettes que celles de nos jours. Elles portent de longues robes, d'une beauté indéfinissable. Les hommes portent des robes longues ou courtes (exception faite des vêtements de travail, qui sont des combinaisons collantes). Les hommes, comme les femmes, sont nu-pieds et portent des cheveux longs.

Le langage est en partie télépathique, même à grande distance. Ils utilisent avantageusement la « télévision mentale ».

Comme les autres personnages de votre civilisation, vous faites de la télékinésie et de la lévitation. J'ouvre une parenthèse sur la lévitation, qui est utilisée dans les domaines les plus divers. Premièrement, pour le corps physique de l'individu. Deuxièmement, pour les objets, même assez volumineux.

Lorsque les corps à léviter sont trop lourds, vous vous mettez à plusieurs pour réaliser le phénomène ; dans ce cas il y a contact avec le corps à léviter, et le travail ressemble à celui des fourmis qui, avec leurs petites pattes d'apparence fragile, soulèvent des charges qui sont loin d'être en rapport avec leur constitution physique.

La nourriture est constituée d'un mélange végétal, consommé sous forme de pains. Les repas se font à la « sauvette ». Votre principale distraction, ainsi que celle des vôtres, est la recherche de l'inconnu, sous toutes ses formes. Pour cela, chose curieuse, vous plongez votre corps physique au fond d'un bassin d'eau, qui occupe la salle principale de votre demeure. Etant dans cette condition, dans un état de relaxation complet, la respiration étant inexistante, votre esprit vagabonde à son gré.

En somme, vous vivez une existence mixte, entre le monde matériel et le monde spirituel, ce qui porte à penser que le corps, dans ces conditions, est vraiment utilisé comme un véhicule, un outil capable de réaliser des actes et des conditions nécessaires au développement de l'esprit. »

Observations :

J'éprouve beaucoup de difficultés à maintenir votre contact, qui tend à me « transporter » dans un monde mystérieux de la création.

Septième antériorité

Après l'étude de vos six incarnations antérieures exécutées par la psychopathotactie, nous arrivons à présent à la source de la vie.

Dans cette septième étude j'ai pris votre propre personnalité, comme cela arrive assez fréquemment dans les études psychopathotactiques.

Entrons maintenant dans le vif du sujet

« Je me sens comme une masse gélatineuse, qui serait immatérielle, s'étirant et se contractant alternativement... Je suis « vide », je n'ai pas de corps et n'éprouve aucune sensation... Je suis dans le vide... autour de moi gravitent des sphères, des planètes... je suis seul, et n'éprouve aucun besoin... Je me sens me déplacer sans que ma volonté n'intervienne car je n'ai pas de volonté, j'existe, c'est tout. Je suis une particule tourbillonnante, je me sens attiré par une masse sphérique immatérielle et m'y incorpore. Je baigne dans cette substance indéfinissable, et sens des radiations venant de toutes les planètes, attirées par cette masse, qui semble s'en nourrir... Je suis moi-même pénétré de ces radiations, et me trouve confondu avec la masse immatérielle, dans laquelle je prends un mouvement vibratoire bien différent, et ne vois maintenant que des choses diffuses, ressemblant à une mer tumultueuse qui se « renverse » en tous sens... Puis je vois apparaître une sphère de teinte orange, dans laquelle je suis attiré et incorporé. Là, je suis en présence de corps semi-matériels et sans vie, à l'image du corps humain, mais dont les contours sont plus ou moins nébuleux. Je suis incorporé dans l'un d'eux. Une étrange sensation m'envahit et, pour la première fois, j'ai l'impression d'autonomie. Projeté à l'extérieur de la sphère orange, je rencontre des êtres à mon image, qui s'empressent autour de moi, et me font prendre conscience de ce que je suis.

Ce monde mystérieux me conduit dans l'immensité du grand tout... je vois des choses ineffables. J'ai l'impression d'avoir toujours existé... je ne sais pas combien de temps je demeure dans cet état. J'ai l'impression de naître, et d'avoir toujours existé.

D'instinct je me dirige vers la terre, comme la tortue de mer sortant de l'œuf se dirige vers l'élément liquide. Là, je fais une grande découverte, rencontre des semblables et, de même que les incarnés ordinaires ne discernent pas les désincarnés, je ne discerne pas les êtres matériels, mais me sens attiré par leurs rayonnements, et m'en « nourris ». Au bout d'un certain temps, je m'introduis dans l'un de ces corps et deviens captif, enveloppé par des particules dites matérielles qui me réduisent à ma plus simple expression... je ne vois plus rien... c'est l'inconscience totale... Je me revois à nouveau habitant un corps semi-matériel, et mène, avec mes semblables une vie contemplative. Puis des êtres intelligents me dirigent à nouveau vers la terre où, pour la première fois, je perçois des corps semblables au mien, incorporés dans la matière « lourde »... Ces êtres semblent endormis, et mènent cependant une vie curieuse et dégradante, que j'observe durant plusieurs cycles, au bout desquels ils en sortent glorieux, rayonnant de lumière. Volontairement, je prends le sentier de ma première incarnation, sous une forme tourbillonnante... Ce qui n'est pas facile, car les corps « lourds » disponibles sont beaucoup moins nombreux que les corps semi-matériels...

Je m'introduis enfin dans l'un d'eux et me disssous dans son sang, j'y reste prisonnier jusqu'au moment psychologique où l'homme incarné s'unit à sa femme (le mystère de l'incarnation), je me trouve plusieurs fois « extériorisé », avant de prendre une place définitive dans la matière qui conduit à la vie lourde des incarnés. *C'est là votre première incarnation.* »

Observation

Il s'agit là d'un retour psychopathotactique expérimental, et non de la contradiction religieuse qui pourrait en résulter.

FORME TOURBILLONNANTE
A LA SOURCE DE LA VIE
SUIVANT L'INFORMATION PARAGNOSTIQUE

Vie antérieure de Monsieur H. Extrait de l'information paragnostique :

« Je vous vois sous l'apparence d'un jeune homme de dix-sept ans, vêtu d'une redingote à queue-de-pie, coiffé d'un chapeau haut de forme. Vos parents sont de riches bourgeois et possèdent une ferme avec de nombreux domestiques. Je vous vois vous promenant en solitaire le long d'une route blanche située dans la campagne. Vous méditez sur la nature, et vous vous arrêtez de temps à autre pour observer les insectes le long de la route... Vous arrivez près d'une rivière boisée... Vous quittez vos vêtements pour vous baigner. Plusieurs jeunes bourgeois s'approchent du cours d'eau et vous regardent nager... Ce sont vos amis... Ils vous font signe et vous remontez sur la berge ; vous vous rhabillez pour vous rendre avec eux à une réunion. Sur une estrade, un homme vêtu en uniforme de l'armée de Bonaparte parle à la foule en faisant de grands gestes avec ses bras... Des jeunes gens viennent de partout pour l'applaudir. Vos amis s'engagent dans l'armée et vous engagent à en faire autant, vous vous y refusez et retournez à la ferme paternelle... Vous finissez par vous ennuyer terriblement de vos camarades, et décidez de vous engager à votre tour pour les rejoindre... Vous êtes à présent dans l'armée du Premier Consul, et participez à la campagne d'Italie. Je vous vois entrer seul dans une maison, tandis qu'au-dehors la bataille fait rage... Vous vous faites servir à boire... Les habitants vous accueillent en libérateur. Après vous être désaltéré, vous vous reposez un court instant sur une chaise, et sortez ensuite de la maison pour rejoindre vos camarades au combat. Vous continuez ensuite votre route avec les autres soldats, sous les acclamations de la population.
Je vous vois maintenant en train de faire cirer vos bottes par un moine entouré de gens. Cette opération terminée, vous jetez un coup de pied à l'ecclésiastique... tout le monde rit.

Vous arrivez à présent avec la troupe, en haut d'une grande colline. Vous êtes placé près de Bonaparte, et tous les autres soldats sont derrière vous. Il semblerait que celui-ci soit très familier avec vous. L'armée domine la plaine, la vue porte très loin et le soleil est sur le point de disparaître à l'horizon. L'attaque est lancée et la charge se poursuit jusqu'à la tombée de la nuit... Une ville est attaquée, la résistance ne dure pas longtemps, et la ville se trouve envahie sans aucune cruauté. Les Français sont admirablement bien reçus par la population qui met des chambres à leur disposition pour passer la nuit. Une garde permanente entoure la ville. Je vous vois dans une salle en train de raconter des histoires aux militaires et aux civils. Ces derniers ne semblent d'ailleurs pas très bien comprendre. Vous trouvez très drôle de conter l'histoire du coup de botte que vous avez administré au moine, et vous vous tapez sur le ventre en faisant votre récit. A cette époque vous étiez un grand gaillard blond très musclé, votre visage était anguleux.

La campagne d'Italie continue... je vois se dérouler devant mes yeux une charge à cheval, au cours de laquelle vous êtes frappé à l'épaule par un projectile ennemi... Vous tombez de cheval.

Longtemps après la bataille, des civils italiens vous ramassent et vous soignent, puis vous êtes rapatrié chez vous. De nombreuses jeunes filles viennent au-devant de vous, il n'y a presque plus de jeunes hommes dans le pays, et les demoiselles semblent s'ennuyer... Vos parents sortent de la ferme et arrivent à leur tour... La scène est très émouvante. Le soir, à table, vous racontez vos exploits militaires.

Quelque temps plus tard, je vous vois sortir de la propriété de vos parents, pour faire une petite promenade, comme avant votre départ pour l'armée. Vous étiez ce jour-là, vêtu d'une tenue militaire disparate... De jeunes royalistes vous poignardent dans le dos... vous restez gisant sur la chaussée. Quelques heures plus tard, des paysans découvrent votre cadavre et le ramènent chez vos parents où tout le monde s'affole.

Votre corps est enterré dans la propriété, sur une butte entourée d'arbres, avec du gazon. »

Observations

Après la remise de cette étude à la personne concernée, les informations obtenues ont été les suivantes :
Cet homme, dans sa vie présente, est anticlérical acharné, d'esprit révolutionnaire, et il aime se promener seul dans la nature.

Conclusion :

Il semblerait, si l'antériorité est réelle (je dis réelle, car il est impossible de contrôler scientifiquement une telle étude) qu'il y aurait une sorte d'hérédité de l'esprit, tributaire de quelques points saillants vécus dans la précédente incarnation.

Vie antérieure de Mademoiselle T. Extrait de l'information paragnostique

« Je vois une paysanne gardant des moutons. Cette jeune fille brune, d'environ dix-huit ans, vêtue d'une robe longue, avec un tablier blanc sur le devant, coiffée comme une vendéenne d'autrefois, porte une petite brebis dans ses bras... il s'agit de vous.
Je vous vois à présent participer à la fenaison... Vous ratissez le foin à l'aide d'un râteau de bois. Le paysage est très coloré, le ciel bleu est parsemé de quelques nuages blancs et le sol est couvert de prairies et de petits bois. Un paysan travaille près de vous, il est vêtu d'un pantalon très large, d'une veste en peau, et porte des sabots de bois. Plusieurs personnes travaillent au champ, une charrette chargée de foin est tirée par des bœufs.
La journée s'achève, et vous retournez au logis avec les paysans. La maison est en fait une grande ferme, dont l'intérieur est agencé avec des meubles rustiques. Votre maman travaille au rouet, près de la grande cheminée. Je vous

vois maintenant en train de broder. L'intérieur de la salle dans laquelle vous vous trouvez, qui est la pièce principale de cette ferme, possède un escalier de bois accroché au mur, donnant accès à un petit balcon qui surplombe la salle, pour conduire aux chambres du premier étage.

C'est l'heure du repas. Vous êtes placés devant une grande table en bois massif, autour de laquelle une dizaine de personnes sont assises. Le repas terminé, vous montez dans votre chambre et, pendant la nuit, vous sortez en passant par la fenêtre en utilisant une échelle, au bas de laquelle un jeune homme vous attend... il porte un fusil sur l'épaule. Près de la fenêtre de votre chambre se trouvent de gros arbres... des poiriers, qui semblent être placés là pour masquer votre aventure nocturne.

Vous partez avec ce jeune homme, très loin dans les champs, sans oublier un petit panier empli de provisions. Vous marchez un certain temps dans la nuit, faiblement éclairée par la lune à demi-voilée par des nuages. Puis vous vous asseyez avec votre compagnon au pied d'un dolmen et là, vous offrez un petit repas à ce jeune homme, qui, si je ne me trompe pas, doit se cacher, pour des raisons qui lui sont personnelles... Vous le servez et discutez longuement avec lui. Ce garçon semble assez entreprenant, et vous repoussez ses avances. Une demi-heure après, vous reprenez le chemin du retour et réintégrez votre chambre, en utilisant à nouveau l'échelle restée en place, que le jeune homme enlève avant son départ.

Le lendemain, au chant du coq, toute la ferme s'éveille. Vous vous lavez, et après avoir bu du lait dans un bol de bois, vous participez au nettoyage de la ferme avec d'autres gens... Vous donnez du grain aux poules... Vous voici maintenant en difficulté avec le patron (votre père)... il prend toutes vos affaires et les jette par une fenêtre... vos robes, vos tabliers, des sabots et une espèce de malle... Tout cela tombe sur le sol de la cour, faisant se sauver les poules qui perdent quelques plumes. Des valets qui se trouvent là viennent pour vous aider, mais le patron leur ordonne de disparaître de sa vue.

Vous ramassez vos affaires, et les mettez dans la malle. Celle-ci étant emplie et fermée, un paysan vient avec une charrette attelée avec des bœufs, vous aide à hisser votre bagage sur son véhicule, qui est encore à demi chargé de foin. Vous montez ensuite vous asseoir dans cette charrette, à côté de votre malle. Le paysan monte devant, et l'attelage quitte la ferme... Où allez-vous ?... je n'en sais rien...

Vous vous dirigez vers une ville, probablement pour chercher du travail... Vous traversez un grand champ de blé... Vous faites arrêter l'attelage à proximité d'un bosquet, près d'un dolmen, vous descendez avec votre malle, et vous attendez là toute la journée, en plein soleil... De temps à autre, vous vous abritez à l'orée du bois, mais n'y restez que de courts instants, par crainte, sans doute, de quelques apparitions fortuites.

Des soldats de l'armée révolutionnaire passent, et semblent étonnés de vous voir seule au bord de la route avec une malle... Ils vous invitent à les suivre... Vous refusez leur sollicitude et cela les inquiète... Ils poursuivent leur chemin.

Un peu plus tard, un carrosse passe ; mêmes observations, un monsieur qui se trouve à l'intérieur vous demande si vous désirez de l'aide, vous refusez également.

Le crépuscule arrive, et des paysans armés font leur apparition, passent devant vous, puis reviennent sur leurs pas, et vous taquinent, ouvrent votre malle, vident son contenu, chahutent avec les vêtements, les broderies, etc. Vous fuyez à cause de leur mauvais comportement. C'est à ce moment précis qu'arrive, en sens inverse, le jeune homme avec lequel vous vous étiez entretenue la nuit précédente. D'une voix forte, faisant d'amers reproches aux paysans, il leur ordonne de cesser leurs plaisanteries. Ces derniers présentent leurs excuses, et vous disparaissez dans le bois avec ce jeune homme, pour vous rendre sous un dolmen, qui est, suivant mes souvenirs, votre lieu de rendez-vous habituel. Les paysans se dispersent dans le bois et s'y cachent, tandis que vous racontez vos petites misères à votre compagnon. Vous restez avec lui et les paysans, embusqués dans ce bosquet.

Le lendemain, très tôt, les soldats révolutionnaires, inquiets de votre présence insolite de la veille, se rendent sur les lieux avec toute une armée, encerclent le bois. N'ayant pas trouvé les traces de votre passage ni dans un sens de la route ni dans l'autre, ces soldats supposent que vous êtes dans le bois ; tout leur fait croire que vous avez été abordée par des royalistes, des chouans, et c'est l'attaque. Ils fouillent le bois, les royalistes ripostent et vous êtes prise avec votre ami.

Les chouans sont presque tous massacrés. Les quelques prisonniers sont acheminés à pied, suivant les chevaux des soldats, les poings liés... Les chevaux avancent assez rapidement, ce qui oblige les prisonniers à courir derrière ; cela est très épuisant. Ensuite, vous êtes enfermée avec les prisonniers dans une forteresse. Les jours qui suivent, les prisonniers sont questionnés un par un, subissant des interrogatoires assez durs, de manière à leur faire dénoncer leurs camarades. Ils vous font assister à toutes les séances de torture, pour que, par pitié, vous dénonciez les susdits camarades, que d'ailleurs vous ne connaissez pas.

Vous êtes maintenant questionnée à votre tour. Vous êtes dans une salle basse, avec plusieurs témoins, qui sont là pour vous accabler, mais il ne vous est fait aucune violence. La seule punition est de vous priver de vos sabots, et de vous laisser dans une attente prolongée, en station debout, tandis que les questions pleuvent à n'en plus finir. Evidemment, vous ne répondez rien, sauf que vous n'êtes pas au courant des affaires sur lesquelles ils vous questionnent. Ils semblent croire en votre sincérité, bien qu'ils aient un doute. Vous êtes relâchée le lendemain matin. Ils vous laissent aller, et vous partez sur la route pieds nus sous un soleil accablant. Vous êtes cependant surveillée de loin par des gardes qui longent les côtés de la route, pour voir où vous allez vous rendre... Vous vous dirigez du côté de la ville, située assez loin de là... Vous repassez devant le champ de blé et là, vous ne savez plus que faire... et pleurez assise sur une pierre. Un paysan passe avec une charrette, s'arrête et vous questionne, il vous propose de vous aider, et vous partez avec lui.

Vous arrivez dans une petite ferme où vous êtes embauchée par ce même paysan qui vit seul avec sa femme, un jeune garçon d'une dizaine d'années, et une jeune fille un peu plus jeune que vous. Les travaux sont très pénibles ; je le rappelle, vous n'avez à cette époque qu'environ dix-huit ans. Le nouveau patron vous traite assez lourdement, vous offre les repas au-dehors ou dans la grange qui sert d'étable et où vous dormez la nuit avec les vaches. Vous passez une bonne partie des nuits à pleurer et le matin, privée en partie de votre sommeil, le travail s'en ressent et vous prenez des coups de bâtons.

Le dimanche, vous allez à la messe dans une petite église où vous faites connaissance d'une femme âgée qui vous fait embaucher dans une auberge du village. Là, évidemment, le travail paraît plus agréable, et vous êtes moins seule ; il y a beaucoup de mouvement, de jeunesse, l'ambiance y est joyeuse. Un soldat royaliste arrive, va trouver le patron, discute longuement, et se travesti. Il s'habille en révolution-naire. J'oubliais de décrire qu'il était arrivé à cheval, il s'agit d'un garçon assez sympathique, et vous tombez amoureuse de lui. Pour des raisons de sécurité, l'aubergiste ne veut pas garder ce royaliste chez lui ; il lui dit de partir durant la nuit, et lui remet quelques provisions. Cet homme ne connaît pas la région et vous lui proposez de partir avec lui à cause, dites-vous, des dangers du marais ; et vous ajoutez que vous connaissez également les endroits où l'on peut passer sans éveiller l'attention, ce qui lui permettrait de rejoindre tran-quillement les chouans.

C'est ainsi que, pendant la nuit, au clair de lune, le cavalier et vous-même, partez sur le même cheval en direction des marais. Mais, malheureusement, vous ne saviez pas que vous étiez surveillée, et une patrouille révolutionnaire vous arrête tous les deux. Le chef demande au voyageur d'expliquer ce qu'il vient faire dans ces parages...

Vous êtes enfermée à nouveau, y compris le voyageur, dans la forteresse avec laquelle vous aviez déjà fait connaissance. Vous êtes naturellement reconnue, et transférée dans une grande prison, où les prisonniers contre-révolutionnaires sont enfermés. Là, vous êtes mise dans une salle avec d'autres femmes. Dans la cour de la prison, un échafaud est dressé avec une guillotine. Régulièrement, tous les jours, surtout dans la soirée, des hommes et des femmes y sont exécutés. Ils sont appelés par leurs noms, sortent de leurs cellules et, saisis par des gardes qui les emmènent à l'échafaud, ils sont décapités, tandis que les autres captifs assistent au supplice derrière la grille de leur prison.

Tous les jours arrivent de nouveaux captifs condamnés à mort... Les exécutions continuent impitoyablement, et vous sentez que votre tour est proche, étant donné que vous commencez à devenir une ancienne dans cette prison. Vous cherchez en vain une issue pour vous échapper... Rien à faire, tout est bien gardé. Vous sentez tout espoir perdu... A la suite de ces exécutions, plusieurs femmes prises d'effroi perdent la raison.

Un « miracle » se produit... des gardes appellent captifs et captives... Au nom de Gnouse, vous vous préparez à avancer, blême de peur, mais l'une des femmes qui ont perdu la raison vous bouscule, prend votre place, et s'en va en criant... Des gardes la rattrapent, lui lient les mains derrière le dos, et l'obligent à suivre les autres... elle crie de toutes ses forces, se trouve mal et tombe... Elle est amenée directement à l'échafaud pour être exécutée immédiatement. Vous vous retirez dans le fond de la salle et pleurez. Un peu plus tard, des royalistes, en fonction chez les révolutionnaires, organisent une évasion... Vous en faites partie et arrivez ainsi à sortir. L'évasion s'effectue à la suite d'un transfert de prisonniers qui est conduit dans un guet-apens dans un lieu où les chouans les attendaient pour les délivrer, et vous reprenez le maquis. Une vingtaine d'hommes de la révolution montent dans une colline boisée, ils sont à pied, sacs au dos, et sont armés de fusils à baïonnette... Les voici attaqués par les chouans qui sortent de chaque côté des fourrés. Les révolutionnaires n'ont pas le temps de riposter, et se font massacrer en moins de temps qu'il ne faut pour le dire. Les corps gisant au sol sont dépouillés par les chouans. Fusils, armes diverses, munitions, tout est récupéré. Vous aidez, ainsi que les autres hommes et femmes libérés, à traîner les corps des soldats, pour les faire disparaître dans les marais. Vous vous cachez avec les chouans, à l'intérieur d'un souterrain éventré, éclairé par des lampes à huile. Des femmes ne faisant pas partie du maquis, des femmes de chouans, viennent pour apporter du ravitaillement à l'aide de paniers... Elles semblent inquiétées par votre présence ; jalouses, elles vous font de méchants reproches... Vous en giflez une, sous les yeux menaçants des autres femmes qui repartent courroucées.

La femme giflée, de retour au village, tient des propos malveillants sur votre personne, et excite toutes les femmes contre vous. Un jour, sortant de la messe, vous êtes suivie par des femmes de chouans, et par des hommes ne faisant pas partie du maquis... Vous êtes poursuivie à coups de pierres, vous êtes rattrapée et maltraitée à coups de pied et de poings. Vous restez inanimée sur le sol, et vos agresseurs s'en vont.

Revenue dans le souterrain avec les chouans, ceux-ci, au lieu de vous soutenir, vous demandent de quitter les lieux, car ils ont peur que la méchante femme, et certaines personnes du village, ne leurs attirent des désagréments. Ils vous signalent qu'ils vont changer de cachette, ce qui est mis à exécution. Vous restez seule dans ce souterrain devenu désert, dans lequel vous tremblez de peur toutes les nuits. Vous n'osez plus retourner au village, et restez ainsi dans le souterrain une dizaine de jours au terme desquels, une quinzaine d'hommes et de femmes viennent vous rejoindre pour vous massacrer... votre corps demi-mort est pendu à un arbre, et ensuite jeté dans un marais...

Voici cette terrible aventure, digne d'un roman-feuilleton. »

Observation :

Après la remise de cette étude à la personne concernée, les informations obtenues ont été les suivantes :

La personne a été, plusieurs fois dans sa jeunesse, mise

dans des situations semblables et n'a nullement été surprise de ce rapport ; il lui semblait réellement avoir vécu de telles aventures dans une autre vie.

Cette antériorité est-elle un transfert télépathique avec transposition ?... nous ne le saurons jamais.

*
* *

Etude d'antériorité avec rétrospective de la vie présente d'un Abbé, qui a bien voulu se prêter à cette expérience. Evidemment, par discrétion, je ne ferai qu'une ébauche de sa vie présente, de façon à ne pas révéler une partie importante de sa vie privée.

« Je vois M. l'Abbé en train de puiser de l'eau à l'aide d'une pompe à godets entraînée par un grand volant de fonte... Il est dans un jardin parmi de nombreux rosiers en fleurs... je le vois également faire du vélo... Il fait des passes magnétiques sur un patient... il magnétise par imposition des mains et par le regard... Je vois un canapé-lit dans sa maison... Le sous-sol de la maison est aménagé en chapelle avec des vitraux colorés. Je vois des démêlés avec la justice... La prison. Il se repose fréquemment sur un divan pour se relaxer, ou pour méditer, vêtu en abbé, etc. »

Tous les détails de sa vie présente m'étaient inconnus et se révélèrent exacts. Au-delà de la vie présente de cet homme, l'antériorité a fait ressortir qu'il était également ecclésiastique, et qu'il pratiquait des guérisons par imposition des mains. De plus, il périt sur un bûcher. Ce monsieur me fit la confidence suivante :

« Ce qu'il y a de remarquable dans cette étude, c'est le bûcher. En effet, j'ai rêvé plusieurs fois dans ma vie que je montais un petit sentier sinueux bordé par de maigres végétations, pour parvenir à une plate-forme, recouverte en partie par de hautes murailles ; là, une forteresse, dont l'enceinte épouse une forme pentagonale, et sur un côté, une tour rectangulaire. Je me trouvais ensuite à l'intérieur de cette forteresse avec plusieurs centaines d'hommes et de femmes,

205

en partie armés ; nous faisions des prières. Des soldats, en très grand nombre, assiégeaient cette forteresse... Nous nous défendions courageusement pendant un temps qui me paraissait fort long, puis nous dûmes capituler. Les soldats ennemis entrèrent et enchaînèrent hommes et femmes, et aussi les enfants... Ils nous firent descendre le sentier abrupt qui menait en bas du plateau. La mine fière, nous marchions en chantant. En bas, dans un champ, un immense bûcher nous attendait, une foule avide de cruauté était là pour assister à l'horrible spectacle qui devait nous consumer tout vif... »

SUIS-JE SÛR DE MES RÉCITS ? INCORPORATION, OU VIE ANTÉRIEURE ?

Question posée par Madame J. A. :

« Vous vous souvenez de l'expérience que vous avez faite avec moi, au cours de laquelle vous avez relaté la vie de ma grand-mère, croyant qu'il s'agissait de ma vie antérieure ? Le Docteur J., qui était présent, a dit : « Elle a incorporé sa grand-mère. »

Sur le moment, je n'ai pas réagi. Pourquoi cette confusion, cette erreur ? »

Réponse :

Ce cas, comme le pense le Docteur J., correspond effectivement à une incorporation ; vous êtes susceptible d'être « habitée », ne serait-ce que de temps à autres, par votre grand-mère ; en l'occurrence ce fut le cas le jour de l'expérience.

Comme je l'ai expliqué en parlant des risques durant un état de dédoublement, le corps physique est susceptible d'être « habité » par deux « capitaines » ; il se produit alors une lutte entre les deux antagonistes mais, dans votre cas, il s'agit de l'intrusion d'une personne qui vous aime. Il n'y a donc pas de lutte entre antagonistes, mais communion, dont votre conscient ne souffre pas, et qui peut passer inaperçue. Votre grand-mère désire vivre une partie de votre vie.

Observation :

Il arrive bien souvent, dans les cas d'incorporation de ce type, que la personne « habitée » ait des gestes, ou des paroles incontrôlées, qui se produisent spontanément au moment favorable, afin d'aider le sujet.

Ce genre d'erreur peut également se produire, lorsque la personne sujette de l'exploration psychopathotactique, possède sur elle quelque chose ayant appartenu à un disparu.

Question posée par Madame J. A. :

« Pouvez-vous, en voyant quelqu'un, retrouver ses vies antérieures ? »

Réponse :

Il m'arrive souvent de remonter les vies antérieures en voyant quelqu'un, mais ordinairement, je n'explore pas comme cela, directement sur la personne lorsque je la vois ; cela serait trop long. J'opère la psychopathotactie à partir de la vie actuelle du sujet.

Le sujet fait inconsciemment un barrage, dû à la peur que je fasse ressortir des petits secrets profondément cachés. Je préfère opérer sur des objets.

Madame J. A. : Dans cette remontée, pouvez-vous trouver la source de certaines douleurs, de certaines fatalités que le présent ne justifierait pas ?

Réponse :

Oui, parce que l'on garde quand même certaines impressions du passé, surtout dans le domaine des sensations où des motivations. Les souvenirs restent gravés, surtout en fonction des grandes émotivités ou des grandes erreurs que l'on a commises.

Madame J. A. : Qu'appelez-vous erreur ?

Réponse :

Un manque de sagesse ; par exemple, une personne qui a troublé, ou perturbé la vie de certains (même en pensées) par son égoïsme, etc. Même sans s'en apercevoir. Au moment de sa mort, elle doit souffrir, en particulier d'avoir été égoïste, parce que tout ce qu'elle a voulu garder pour elle, elle va le perdre en même temps que son corps physique. Dans une certaine mesure, il aurait mieux valu être plus partageuse, et laisser derrière elle bons amis et affectueuses pensées. C'est l'explication toute simple du « Karma ». Imaginez un peu l'effet ressenti par un criminel retrouvant sa victime au-delà de la mort... Que cela serve de leçon.

Pour la personne qui a mené une vie d'égoïsme, privé ses enfants, sa famille, négligé ses amis des plaisirs qu'elle aurait pu leur accorder, au moment de mourir, il y a un examen de conscience qui se concrétise lorsque la vie dans le corps physique se termine. La « minute » de vérité est parfois très douloureuse lorsque l'être humain, dépouillé de sa chair, paraît devant « l'être de lumière ». Et cela reste gravé comme une ombre qui poursuit l'individu dans sa nouvelle incarnation. Alors la personne reste angoissée, sans savoir exactement pourquoi ; c'est là, justement qu'il y a le déséquilibre, voire un effet « karmique ».

SUIS-JE SÛR DE MES VISIONS DE VIES ANTÉRIEURES ?

Pour répondre à cette question, je dois dire que je suis sûr d'obtenir dans ce domaine une « vision » aussi claire que celle obtenue par clairvoyance, qu'il ne s'agit pas là de rêveries imaginatives mais que, contrairement à la clairvoyance, les informations obtenues ne sont pas objectivement vérifiables. Ce qui les rend scientifiquement hypothétiques.

208

Il m'est quelquefois permis de constater que certains malades, incurables médicalement, conservaient inconsciemment dans leurs âmes l'empreinte d'un événement traumatisant, provenant d'une vie antérieure.

Exemple :

Le cas de Monsieur G., chez qui apparaissent des crises d'asthme, ainsi qu'une éruption d'eczéma sur les mains lorsqu'il se trouve dans un local où séjournent un chien ou un chat, même durant l'absence de ces animaux et cela, même s'il en ignore l'existence.

S'asseyant un jour sur une chaise, sur le dossier de laquelle était posé le manteau d'une collègue de bureau qui possédait des chats (ce que cet homme ignorait), lui provoqua une forte crise d'asthme et une éruption d'eczéma sur les mains, qui durèrent plusieurs heures.

L'étude de la vie antérieure de cette personne fit apparaître, entre autres détails, une partie de chasse au moyen âge, au cours de laquelle ce monsieur, d'une flèche, blessa mortellement son chien qu'il aimait comme s'il s'agissait d'un enfant. Le chien, avant de mourir, lécha les mains de son maître...

MANIÈRE DE RÉSOUDRE SES PROBLÈMES ACTUELS, EN LES REPORTANT SUR UNE AUTRE ÉPOQUE

Au-delà des problèmes psychologiques connus dans une vie présente, peuvent s'en greffer d'autres du même ordre, relevant d'une vie antérieure. Il n'est pas rare qu'une personne ayant péri par le feu, dans une vie antérieure, conserve une peur du feu apparemment inexplicable. Une personne qui fut pendue ou étranglée demeure effrayée lorsque quelque chose lui serre, même très légèrement, la gorge. Une personne ayant été agressée par une panthère, par exemple, peut conserver une antipathie très marquée pour les panthères, mais aussi pour les chats.

Certaines maladies psychosomatiques prennent également leurs sources dans une vie antérieure.

La meilleure façon de se libérer de ces troubles serait de faire, ce qui n'est pas toujours facile, une suggestion corrective, en replaçant mentalement le sujet dans la situation qui a provoqué le trouble, mais en détournant son aspect dramatique, tout en évitant l'hypnose.

Exemple :

Une personne qui, dans une vie antérieure, aurait péri en mer à la suite d'un naufrage, traumatisée par cet événement, provoquerait dans sa vie actuelle une grande émotivité et de fortes angoisses à la moindre petite agression physique ou psychologique.

Pour aider la personne qui correspond à cet exemple, il faut, par télépathie, ramener le sujet dans sa précédente vie, par des « télésuggestions » répétées, et lui faire entendre qu'il n'était pas dans le bateau qui a fait naufrage, qu'il ne s'agissait que d'un rêve à oublier. L'agent télépathe devra lui-même revivre la scène, se sentir entièrement dégagé de toute angoisse durant l'émission du « message ».

Les messages devront, de préférence, être envoyés durant le sommeil du sujet, afin d'obtenir un maximum de réceptivité.

LES GUÉRISONS SPIRITUELLES

Conférence de Raymond Réant, au 29ᵉ congrès sur les thérapeutiques naturelles, organisée par le groupement national pour l'organisation de la médecine auxiliaire, le samedi 29 septembre 1979 à 14 h 30, à l'Hôtel Hilton, 18, avenue de Suffren, Paris 15ᵉ (Salon Orsay).

Suivant les écritures saintes, Jésus-Christ fut le plus grand guérisseur de tous les temps. Il guérissait par imposition des mains, et aussi par télépsychie. D'après un manuscrit sur papyrus, découvert vers 1945, en Haute-Egypte, écrit en langue copte, Jésus nous encourage en ces termes :

Logia 2 :

> « Celui qui cherche ne doit pas cesser de chercher, jusqu'à ce qu'il trouve, et quand il trouvera, il sera stupéfié, et étant stupéfié, il sera émerveillé, et il régnera sur le tout. »

(*Evangile selon Thomas,*
Edition Metanoia 1974,
Marsanne 26 200, Montélimar.)

Nous pouvons lire, dans l'Evangile de Jean, au chapitre 14, verset 12 :

> « Celui qui croit en moi fera aussi les œuvres que je fais, et il en fera de plus grandes, parce que je m'en vais au Père. »

L'analyse de ces paroles christiques indique que nous pouvons agir par nous-mêmes mais, en plus, il ajoute (Jean, Ch. 14, V. 13 et 14) :

> « Et tout ce que vous demanderez en mon nom, je le ferai, afin que le Père soit glorifié dans le fils. Si vous demandez quelque chose en mon nom, je le ferai ! »

Ce qui veut dire que nous pouvons, par la prière, passer par lui pour obtenir une chose désirée.

Donc, il y a là deux possibilités :

La première : faire cavalier seul.

La seconde : utiliser la prière.

L'acte religieux qui fait recourir à la prière demeure sans valeur s'il ne repose pas sur la foi.

Il faut d'abord croire que la chose demandée va se réaliser. Il est bien écrit dans les Evangiles :

« Demande quelque chose, et crois que tu l'as reçu, tu l'as reçu, tu la verras se réaliser. »

Si vous faites une prière sans vraiment y croire, c'est comme si vous ne faisiez rien.

La prière doit être la plus simple possible. Il faut s'adresser au Christ ou au maître créateur, comme à un proche parent, en ayant la certitude qu'il vous aidera. Ensuite vous pouvez agir ; tout se passe comme si vous puisiez et agissiez dans l'énergie divine où vous baignez. La prière est très utile, car elle déclenche une action psychique, qui peut être d'autant plus grande que vous êtes sincère, que vous avez la foi. C'est pourquoi j'ose dire que la conviction contenue dans une prière déclenche une mobilisation et une force qui peuvent, sinon soulever les montagnes, du moins nous aider à en franchir certaines. Je livre cela aux incroyants sans autre commentaire.

En résumé : après avoir pris connaissance, et bien déterminé, ce que vous désirez développer en vous, ou voir se réaliser, ayez la certitude que vous pouvez accéder au but que vous voulez atteindre, voyez d'avance votre succès, sans aucune négation, et vous obtiendrez le résultat souhaité.

Saint Thomas d'Aquin disait :

« Toute idée conçue dans l'âme est un ordre auquel obéit l'organisme : ainsi, la représentation de l'esprit produit dans le corps une vive chaleur ou froid : elle peut engendrer ou guérir la maladie, et il n'y a rien-là qui doive surprendre, puisque l'âme, forme du corps, est même substance avec lui. »

Donc, l'idée étant une pensée dominante, vous devez tenir compte de la loi des pensées. De cela peut dépendre votre santé : autoguérison-automaladie, ou empoisonnement psychique (qui est un auto-envoûtement).

LA LOI DES PENSÉES

Chacun sait que les globules rouges de notre sang prennent naissance dans la moelle de certains os, et passent dans le circuit sanguin où ils ne vivent qu'environ cinquante à soixante-dix jours ; ils doivent, par conséquent, être continuellement remplacés. Il en est de même pour les pensées constructives. A partir du moment où l'homme les a créées, elles prennent naissance dans le cerveau et s'en échappent et deviennent indépendantes, avec une vie qui leur est propre.

Tout comme la moelle osseuse a le pouvoir de créer de nouveaux globules rouges semblables, le cerveau a la possibilité de créer de nouvelles pensées identiques, en grande quantité et de même nature, pour régénérer, augmenter, et fortifier la première pensée. Elle devient alors dynamique, ce qui est la condition nécessaire pour une réalisation psychique objective.

L'homme peut également émettre une ou plusieurs pensées contraires à la première, ce qui l'amoindrit, ou la détruit.

La pensée la plus destructrice, dans la production de pensées positives, est celle du doute.

Le doute est semblable à l'étincelle électrique qui, en un temps plus court qu'il n'en faut pour le dire, détruit un mélange gazeux d'oxygène et d'hydrogène, le réduisant en eau, alors qu'il a fallu, au départ, un temps relativement assez considérable pour l'en libérer par électrolyse.

La pensée apparaît au clairvoyant sous une forme tourbillonnante, attirant vers elle celles de même nature, afin de structurer et de concrétiser le but qui lui a été attribué.

Dans le sang, un globule rouge seul ne parviendrait pas à réaliser le travail demandé par l'organisme ; il en est de même pour une pensée.

La pensée est la base de la matière et se présente, à son origine, sous la même forme tourbillonnante, avant d'avoir été dynamisée. Donc, lorsque l'homme multiplie la production de pensées de même nature, celles-ci s'unissent entre elles pour donner naissance à une pensée dynamique, sous l'influence de la volonté.

Il est donc de première importance de prendre conscience de ce phénomène.

Nous pouvons également comparer une production de pensées de même nature aux rayons solaires passant au travers la lentille d'une loupe, qui serait la volonté, pour concentrer les rayons solaires afin d'obtenir un foyer, capable de mettre le feu à une feuille de papier, qui serait le résultat à obtenir. En ce qui nous concerne en ce moment, ce résultat serait relatif à une guérison.

Il est nécessaire de parvenir à un état de concentration si profonde qu'aucune pensée ne parvienne ou ne prenne naissance dans votre cerveau ; seule la pensée relative au sujet dont il est question doit occuper l'esprit.

La matière peut être modifiée par l'esprit. Au cours d'émission de télépathie, l'on projette bien des particules dont, scientifiquement, nous ignorons la nature exacte, mais nous savons qu'il s'agit d'une forme d'énergie ; elle se dégage du cerveau de la personne qui émet et est reçue par le cerveau de la personne réceptive. Cette énergie-là est, à mon avis, d'origine plus intime que celle de l'atome. C'est une observation personnelle qui, je l'espère, vaut la peine d'être étudiée.

La découverte de ce que l'on appelle l'ultime composant de la matière, le quark, pourrait l'étayer.

Demandez ce qu'est une particule électrique : on vous dira qu'elle est une onde de telle longueur en microns, etc. Il s'agit là de quelque chose de presque inexistant, mais qui existe.

Au-delà de l'atome, il en est de même, on trouve des particules qui sont très fines, et je crois que celles-là sont les plus intéressantes.

Jusqu'à présent, on peut dire que le chimiste travaille surtout sur le cortège électronique de l'atome, les électron-valances agissant les uns sur les autres. Mais, au niveau du noyau, c'est vraiment au moment de la fission de l'atome que l'on découvre un dégagement formidable d'énergie.

Si l'on étudie le cerveau, on s'aperçoit d'une mise en mouvement d'énergies extraordinaires, dont on ne sait, pour ainsi dire, rien.

Je crois que le cerveau est un organe créateur, et que toutes les particules qu'il émet, finissent par créer, par réaliser une chose concrète.

Que croyez-vous que fasse par exemple Jean-Pierre Girard, célèbre pour ses travaux parapsychologiques, et en particulier ceux de psychokinésie, lorsqu'il tord une barre métallique uniquement en la regardant ? Il agit bien au sein de la matière, mais pas forcément sur l'atome ; il agit par influx mental. Le mental et le spirituel sont deux frères jumeaux.

La matière, elle aussi, est douée d'esprit, et l'auteur d'une torsion de barre métallique agit sur l'esprit de la matière. Cela explique beaucoup de choses, et l'on revient au vieux concept religieux :

« Dieu a créé l'homme à son image, par la pensée. » Donc, l'homme, étant fait à l'image de Dieu, est capable de penser à son tour, et de créer par la pensée.

Il faut s'attendre à des découvertes formidables, dans le domaine des possibilités psychiques de l'homme.

L'esprit humain peut également pénétrer dans la matière, c'est-à-dire voir sa constitution ou même, sans aller si loin, voir l'intérieur d'un organe, par exemple. C'est une chose qui n'est pas courante et que l'on ne peut réaliser à chaque instant, parce que c'est assez pénible, mais qui a été contrôlée plusieurs fois scientifiquement.

En fait, chacun peut le faire, c'est une question d'entraîne-ment.

Cet entraînement est d'ordre psychique. Si les enfants recevaient, à la sortie de l'école maternelle, un enseignement leur apprenant à se servir du laboratoire personnel qu'est leur cerveau, ils finiraient par trouver tout naturel de vous dire : « Tiens, dans votre montre, il y a un petit engrenage qui est en train de s'user ! » Ils verraient à travers le boîtier, et cela ne choquerait personne. En regardant de l'eau, ils pourraient dire :

« Tiens ! celle-ci n'est pas pure, elle contient des métaux lourds. »

Cette sorte d'analyse qualitative psychique ne surprendrait personne tandis que, jusqu'à présent, nous sommes peu à la pratiquer, et ceux qui le font ne peuvent la reproduire constamment. Pourquoi ? Parce que nous sommes encore « engourdis » dans ce domaine.

Si chacun arrivait à faire cela correctement, l'intérêt scientifique ne serait plus qu'un amusement. Les gens n'auraient pas besoin qu'on leur prouve quoi que ce soit, puisqu'ils le verraient eux-mêmes.

Lorsque vous regardez dans un bassin et que vous voyez un poisson rouge, si vous allez chercher quelqu'un et lui dites : « Regarde, il y a un poisson rouge ! » il vous répondra : « Oui, effectivement il y a un poisson rouge. » Tandis que s'il est aveugle, il dira « Moi, je ne le vois pas, je ne sais pas, il faut que l'on me le prouve, mets-moi ce poisson dans la main, que je le sente. »

Mes recherches en parapsychologie m'ont amené à faire des expériences de magnétisme curatif sous contrôle médical, parce que je ne voulais pas prendre de risques, et surtout ne pas en faire prendre aux gens qui acceptaient de tenter l'expérience. Je me suis aperçu que le don de guérison par le magnétisme, en réalité, ne soignait pas les gens, mais aidait à guérir.

Un magnétiseur n'est pas un guérisseur, il aide parce qu'il apporte de l'énergie, il soutient, il épaule l'organisme pour lui permettre de réagir par lui-même. S'il y a un corps étranger dans un organisme, il n'est pas certain que le magnétiseur l'expulsera, bien que le résultat le fasse croire. Cependant, une action psychique peut, dans certaines conditions, parfois y parvenir.

Un magnétiseur ne devrait jamais agir sans contrôle médical, parce qu'il peut aussi bien échouer ; s'il rate la « Guérison », qu'il croyait en toute bonne foi obtenir, il met le malade dans une situation très délicate, et peut même le conduire jusqu'à la mort de son corps physique.

Aussi loin que nous remontions dans l'histoire de l'humanité nous trouvons des magnétiseurs et des guérisons dites « paranormales ». Un papyrus, vieux d'environ 4000 ans, découvert dans les ruines de Thèbes, déclare :

« Pose la main sur lui, pour calmer la douleur, et dis, que la douleur s'en aille. »

On sait, par exemple, qu'en plaçant les mains au-dessus de cultures microbiennes, au bout d'un certain temps et si le désir a été ferme et continu, on arrive à stopper le développement de la culture, et même à la détruire. Il se produit une action stérilisante et même desséchante. On comprend alors que, si l'on place la main au-dessus d'un ulcère variqueux, par exemple, avec la même volition, qu'il puisse se passer quelque chose. Il doit en résulter une action stérilisante, et en même temps une action desséchante. Tout cela dépend de la façon dont agit le thaumaturge.

L'action peut aussi être vitalisante ou, endormir une douleur, sans pour autant aider à la guérison. Là, c'est extrêmement dangereux. Une personne croit qu'elle est guérie, parce qu'elle ne sent plus de douleur, alors qu'en réalité, elle est simplement insensibilisée. Elle s'en va toute contente, et, s'il s'agit d'une maladie grave, quelque temps après il peut être trop tard pour la soigner. Elle a cru être guérie alors que la maladie évoluait dans l'ombre. C'est très dangereux et, ne fût-ce que pour cette raison, le contrôle médical se révèle vraiment indispensable.

Bien sûr, beaucoup de guérisseurs pensent faire des diagnostics justes, mais tout le monde peut se tromper, et comme il n'existe aucun moyen objectif de le vérifier, une erreur de diagnostic se révèle parfois dramatique.

Ce problème ne se pose pas dans le cas d'une aide spirituelle. Le malade ayant été consulter un médecin, le croyant agit par la prière, ou plus proprement dit, fait appel à des forces supérieures pour aider son prochain ; car ce qui importe pour lui, c'est que la guérison demandée soit acceptée.

Il arrive que certaines personnes très riches en émissions négatives, donc dévitalisantes, ne parviennent pas à conserver chez elles des plantes ou des fleurs. Elles se dévitalisent plus ou moins rapidement suivant les cas, et meurent.

Il est remarquable de constater que les personnes particulièrement sensibles éprouvent une sensation de malaise en présence de tels sujets. Elle va de la simple sensation d'oppression, qui pousse à quitter le lieu dans lequel se trouve le sujet en question, jusqu'à la syncope. Ce malaise indéfinissable ne tarde pas, si les rencontres se multiplient, à avoir une répercussion nocive sur la santé de la personne réceptive.

J'ai eu l'occasion de vérifier moi-même ce phénomène qui, je l'avoue, est assez désagréable. En revanche, si une personne sensible se trouve à proximité d'un sujet à émissions positives, elle se sent tout à fait détendue et envahie par une sensation de bien-être, sans communication orale, ni imposition des mains, et peut même se retrouver guérie. C'est le cas relaté dans l'Evangile de Marc, au chapitre 5, verset 25.

« Il y avait une femme atteinte d'une perte de sang depuis douze ans. Elle avait beaucoup souffert entre les mains de plusieurs médecins, elle avait dépensé tout ce qu'elle possédait, et elle n'avait éprouvé aucun soulagement, mais était allée plutôt en empirant. Ayant entendu parler de Jésus, elle vint dans la foule par-derrière et toucha son vêtement (celui de Jésus), car elle disait : Si je puis seulement toucher ses vêtements, je serai guérie. Au même instant la perte de sang s'arrêta, et elle sentit qu'elle était guérie de son mal. Jésus, connut aussitôt en lui-même qu'une force était sortie de lui ; et, se retournant au milieu de la foule, il dit : Qui a touché mes vêtements ? Et il regardait autour de lui, pour voir celle qui avait fait cela. La femme, effrayée et tremblante, sachant ce qui s'était passé en elle, vint se jeter à ses pieds, et lui dit toute la vérité. Mais Jésus lui dit : « Ma fille, ta foi t'a sauvée, va en paix, et sois guérie de ton mal. »

Nous voyons là une action assez caractéristique des émanations énergétiques invisibles du corps humain, qui peut être bénéfique.

Le sujet maître de ses pouvoirs psychiques est capable de contrôler ces énergies, et de les utiliser selon l'emploi qu'il en veut faire. Ce contrôle, et l'autorité qu'il exerce sur son psychisme, sont la base d'une partie des phénomènes paranormaux conscients.

Le commandement mental soumet les forces énergétiques humaines à la volonté de l'opérateur. C'est pourquoi un maître psychique ne tient pas compte des définitions découlants des observations qu'ont pu effectuer certains chercheurs sur le magnétisme humain.

Normalement, nous constatons que, si un sujet présente sa main droite au-dessus de la main gauche d'une personne ayant une forte émission énergétique, une sensation caractéristique de picotement, ou de chaleur, parfois les deux, se produit. Mais si le sujet émetteur change mentalement sa polarisation, il y a sensation de fraîcheur, de froid.

Il est facile d'imaginer qu'il soit possible, suivant ces expériences, à partir du pouvoir psychique, sous contrôle et sous la direction du mental, que certaines forces énergétiques d'origine humaine, puissent retirer, ou diminuer la vitalité de certaines cellules dangereuses dans l'organisme, et d'autre part activer l'autodéfense, pour rééquilibrer un organe déficient.

*
* *

Matthieu 8, versets 2-3 et 4.

« Et voici, un lépreux s'étant approché, se prosterna devant lui, et dit : Seigneur, si tu le veux, tu peux me rendre pur. Jésus étendit la main, le toucha, et dit : Je le veux, sois pur. Aussitôt il fut purifié de la lèpre. »

Matthieu 8, versets 5-6-7-8-10 et 13.

« Comme Jésus entrait dans Capharnaüm, un centenier l'aborda, le priant et disant : Seigneur, mon serviteur est couché à la maison, atteint de paralysie, et souffrant beaucoup. Jésus lui dit : j'irai et le guérirai. Le centenier répondit : Seigneur, je ne suis pas digne que tu entres sous mon toit... Après l'avoir entendu, Jésus fut dans l'étonnement... Puis Jésus dit au centenier : Va, qu'il soit fait selon ta foi. Et à l'heure même, le serviteur fut guéri. »

Matthieu 9, versets 6 et 7.

« Lève-toi, dit-il au paralytique, prend ton lit et va dans ta maison. Et il se leva et s'en alla dans sa maison. »

Matthieu 9, versets 27-28-29 et 30.

« Etant parti de là, Jésus fut suivi par deux aveugles, qui criaient : Aie pitié de nous, fils de David ! Lorsqu'il fut arrivé à la maison, les aveugles s'approchèrent de lui, et Jésus leur dit : Croyez-vous que je puisse faire cela ? Oui, Seigneur, lui répondirent-ils. Alors il leur toucha les yeux en disant : Qu'il vous soit fait selon votre foi. Et leurs yeux s'ouvrirent. »

Matthieu 10, verset 1.

« Puis, ayant appelé ses douze disciples, il leur donna le pouvoir de chasser les esprits impurs, et de guérir toutes infirmités. »

Marc 8, versets-22-23-24-25 et 26.

« On amena vers Jésus un aveugle par la main, et on le conduisit hors du village ; puis il lui mit de la salive sur les yeux, imposa les mains, et lui demanda s'il voyait quelque chose. Il regarda, et dit ; j'aperçois les hommes, mais j'en vois comme des arbres, et qui marchent. Jésus lui mit de nouveau les mains sur les yeux et, quand l'aveugle regarda fixement, il fut guéri, et vit tout distinctement. »

XXIX

TRANSFERTS

LES OBJETS SONT-ILS DANGEREUX ?

Dans certains cas, les objets sont susceptibles de transférer une sensation, ou une maladie.

Voici un sujet qui, aussi aberrant que cela paraisse, fait ressortir des observations assez inquiétantes. En effet, au cours de longues et minutieuses recherches sur certaines causes d'empoisonnement psychique, communément appelé « envoûtement », il m'a été donné de constater que certaines ondes perturbatrices peuvent « irradier » et imprégner certains objets, en particulier les vêtements des personnes atteintes ; ces ondes sont susceptibles de se transférer sur une, ou même plusieurs personnes, portant successivement le vêtement « chargé ».

Voici quelques exemples probants.

La secrétaire d'une société industrielle, avait coutume de donner ses bas nylon usagés à un chimiste de cette même société. Celui-ci les utilisait pour dégrossir, par filtration, des solutions contenant des précipités. A cette époque, le nylon coûtait assez cher ; il entrait dans la fabrication des tissus synthétiques depuis peu de temps.

Deux laborantines avaient remarqué, que, dans la plupart des paires de bas, un seul était endommagé sur deux. Elles récupérèrent ceux qui étaient intacts, reconstituant ainsi plusieurs paires, qu'elles portèrent par la suite. Quelques

222

temps plus tard, l'une des laborantines vit apparaître sur sa jambe gauche, un eczéma. L'autre laborantine ressentit une démangeaison au niveau de sa jambe gauche, sans qu'il y ait de dermatose.

La persistance de ce phénomène les inquiéta et elles s'aperçurent que, curieusement, la secrétaire était atteinte d'un eczéma, également à la jambe gauche et au même endroit.

Après information, elles surent que cette personne se faisait soigner depuis plusieurs mois, sans aucun résultat. Trois mois après, environ, à la suite d'un nouveau traitement médical, la secrétaire fut guérie et, fait surprenant, les deux laborantines le furent presque en même temps, à quelques jours d'intervalle.

Voici un cas assez récent, qui illustre aussi ce genre de phénomène :

Un directeur de production de produits chimiques, fier de sa collection vestimentaire, offre l'un de ses costumes à l'un de ses chefs de service, dont il convoite la femme.

Quelques mois plus tard, le chef de service est atteint d'une maladie incurable, qui lui paralyse les deux jambes. S'étant aperçu que son directeur tournoyait autour de son épouse, le chef de service donna à son frère, pour s'en défaire, le fameux costume qui, pour lui, représentait son directeur. Ce qui se produisit fut affreux. Le chef de service vit son épouse le quitter pour aller vivre avec son frère. Six mois plus tard, celui-ci mourut d'un arrêt cardiaque.

XXX

RAYONNEMENT DE LA MAIN

Si un être doué, c'est-à-dire maître de son pouvoir psychique, agit avec sa main gauche, en la plaçant à quelques centimètres au-dessus d'une culture microbienne, il en ralentit le développement et peut, s'il le désire, la détruire totalement. S'il agit avec la main droite, c'est le contraire qui se produit. L'action sur les plantes présente les mêmes constatations. En effet, si un tel sujet place sa main droite au-dessus d'une plante présentant un état déficient, il la « vitalise » et on la voit, au bout de quelque temps reprendre toute sa vigueur. Si, au contraire, il place sa main gauche au-dessus d'une plante vigoureuse, au bout de quelques jours, elle présente un état de « dévitalisation » anormal. Il est important de signaler que, chez la femme, les « pôles sont inversés, c'est-à-dire que la main droite réduit la vitalité, tandis que la main gauche augmente celle des plantes, ou des cultures microbiennes.

Ceci n'a rien d'étonnant ; en effet, les forces psychiques qui circulent dans le corps de la femme, sont inversées par rapport à celles de l'homme. En voici la raison bien simple : les énergies « positive » et « négative » de l'être humain partent de la base de l'épine dorsale, provenant des fosses nasales, à partir de la respiration et en partie transformées par le foie. Chez l'homme, l'énergie « négative » prend sa source à droite et la « positive » à gauche de l'épine dorsale, alors que chez la femme, l'énergie « négative » prend sa source à gauche et la « positive », à droite. Ces énergies s'entrecroisent tout le long de la colonne vertébrale, se diffusant dans l'organisme par l'intermédiaire des plexus.

XXXI

LA PIERRE NOIRE DU GUÉRISSEUR

Le 11 mai 1974, un prêtre me remit, afin d'en faire une étude par la psychopathotactie, une curieuse petite pierre noire, dont les caractéristiques étaient les suivantes :

Couleur : Noire (noir grisâtre).
Poids   : 69 grammes.
Forme   : Grandeur naturelle, dessin ci-dessous.

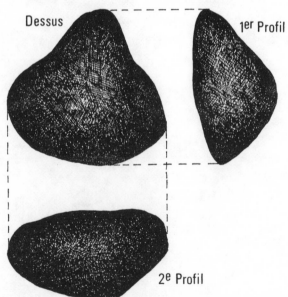

Le contact de cette pierre donne une impression de froid.

226

L'étude exécutée sur cette petite pierre noire a donné les résultats suivants.

« Je me trouve au-dessus d'une planète couverte de montagnes, constituée de roches sombres... des fumées épaisses s'étendent dans le fond d'une vallée et, au loin, à l'horizon, ces fumées blanches ressemblent à un brouillard très dense et immobile... Un bolide arrive à une vitesse inouïe, traînant derrière lui un sillon incandescent... Il heurte la cime d'un rocher, qui éclate... De grosses particules de ce rocher suivent durant un certain temps la queue du bolide, qui poursuit sa route. Plusieurs de ces particules se détachent ensuite de la queue du bolide partant dans des directions différentes. Le contact (objet de l'étude) se présente alors sous la forme d'une masse de feu pouvant atteindre environ trois mètres... Il approche de la terre, de plus en plus, puis reste plusieurs années en orbite autour d'elle, s'en rapprochant progressivement dans un mouvement de spirale, et enfin, tombe sur notre sol, en produisant de multiples éclats, qui se refroidissent lentement... Environ cinq siècles plus tard, la pierre en question est ramassée par un homme âgé, vivant dans la montagne. Ce vieillard s'en servit pour opérer des guérisons, suivant le processus « d'échange énergétique ».

Le malade devait :

1° Tenir cette pierre dans sa main droite pendant quelques minutes, durant la journée ; temps nécessaire pour ressentir une douce chaleur dans l'avant-bras.

2° Faire la même opération avec la main gauche.

3° Lorsque la chaleur avait été ressentie dans les deux avant-bras, le vieillard prenait à son tour cette pierre et, faisant des prières, plaçait la pierre sur son front, puis sur la partie malade. Le ciel devait être bien découvert et le patient à l'ombre.

Cette pierre fut offerte au comte de Foix, par un prêtre, et servit à de multiples guérisons et exorcismes.

227

Il a été aussi constaté que :

Si l'on place la partie arrondie d'une boule de marcassite (1), brisée de façon à former un cône (voir figure) sur un endroit douloureux du corps humain, il est fréquent que la douleur disparaisse, mais cela ne veut pas dire qu'il y a guérison ; c'est là le danger. En effet, la douleur est un signal d'alarme qu'il ne faut pas étouffer, ce qui pourrait avoir pour conséquence de priver le médecin d'un point de départ pour établir son diagnostic. De plus le sujet, se croyant guéri, laisse s'aggraver une maladie, dont la guérison peut parfois être sérieusement compromise.

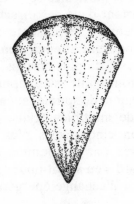

(1) Marcassite : bisulfure naturel de fer, également connue sous le nom de pyrite blanche.

XXXII

PRÉCAUTIONS A PRENDRE
DANS LES GUÉRISONS PARANORMALES

Les dangers auxquels s'exposent les malades, en se confiant à un guérisseur sont nombreux. En effet, bien souvent la clientèle des guérisseurs ne se fait pas examiner par un docteur en médecine, et il est facile de comprendre qu'une personne atteinte d'une maladie bénigne, rendant visite à un guérisseur peu scrupuleux, celui-ci, le plus souvent à l'aide d'un pendule de radiesthésiste, va peut-être diagnostiquer une maladie grave, nécessitant un long traitement. Il arrive également qu'un guérisseur exige l'interruption d'un traitement médical afin, qu'en cas de guérison, le patient n'ait pas à faire valoir l'effet d'un traitement médical. Là est le danger.

En principe, un guérisseur n'a pas le droit de guérir, suivant la législation française actuelle ; s'il le fait, il ne devrait pas entreprendre d'aider un malade sans l'avis du médecin traitant, même dans les cas sans gravité apparente. Car si le guérisseur ne réussissait pas, la maladie pouvant s'aggraver, un traitement médical trop tardif pourrait devenir inefficace, et priver le malade d'une guérison possible. A bien dire, il est difficile, pour un profane, de distinguer un guérisseur sérieux d'un pseudo-guérisseur. Un guérisseur sérieux ne doit pas avoir de préjugé personnel sur la certitude d'un résultat positif. La seule chose qui doit compter pour lui est de voir le malade guérir, par conséquent de donner à son client toutes ses chances, en s'assurant qu'il suit scrupuleusement les conseils de son médecin traitant. Ce qui revient à dire que le

229

guérisseur ne doit pas guérir, mais aider les personnes à guérir.

Personnellement, je sais expérimentalement qu'il est possible de découvrir certaines maladies, par voie extrasensorielle ; mais je sais également qu'il y a aussi des erreurs, ce qui veut dire « Danger. »

A titre d'exemple, dans le cas d'un diagnostic expérimental, voici comment les choses se passent.

EXPÉRIENCE DE PSYCHOSCOPIE

Psychoscopie : du grec *psukhê* « âme », et de *skopein* « examiner », c'est-à-dire examiner par l'âme.

Le mercredi 27 avril 1977, M. R. (Journaliste), venu me consulter pour enregistrement d'informations filmées, sur les guérisseurs, me demanda (sachant que je n'utilisais pas mes facultés paragnostiques dans ce domaine, mais que je faisais des « lectures » dans des tubes fermés et opacifiés, avec un certain succès) à titre purement expérimental, si je voulais bien exécuter sur sa personne une psychoscopie, afin de pouvoir mieux comprendre ce phénomène.

Au début, je refusai de faire cette démonstration, craignant de trouver par cette méthode une information qui aurait pu le perturber, et dont j'aurais été dans l'obligation de ne rien dire, ce qui aurait rendu l'expérience négative. Il insista, et je fis cette expérience.

Je pris d'abord un premier contact en regardant M. R. dans les yeux, puis, tournant légèrement la tête sur ma gauche, afin de ne plus avoir mon visage dans son champ visuel direct, je commençai l'exploration par le sommet de sa tête et descendis lentement. Mon attention se porta au niveau des reins, et je signalais à M. R. le résultat de mon observation, en lui disant que je voyais quelque chose dans cette région, puis j'ajoutais qu'il s'agissait d'une faiblesse de fonctionnement des capsules surrénales, suivant l'information que me donnait la psychoscopie. Continuant mon exploration, j'ajoutais que je voyais également une faiblesse du côté génital, mais que, dans l'ensemble, je ne percevais rien de grave.

M. R. sourit en me disant que tout cela était exact, qu'il avait déjà fait faire un contrôle, et que mes observations correspondaient aux résultats médicaux. Mais ce qui l'avait le plus troublé, c'était de sentir la présence de « quelque chose » qui s'écoulait en lui au cours de cette exploration psychoscopique.

Au cours d'une série d'expériences destinées à contrôler les possibilités du pouvoir psychique en matière de psychoscopie, je commençais par fixer dans les yeux la personne à étudier, afin de prendre « contact » avec elle. Ensuite, je dirigeais mon regard sur un point quelconque de l'endroit dans lequel je me trouvais, de façon à ne pas me laisser distraire par la personne à étudier. Puis j'entreprenais une exploration profonde, en me « projetant » psychiquement dans le corps du sujet, commençant par le sommet de la tête. Puis j'explorais progressivement tout l'intérieur de son corps, pour donner ensuite les résultats de mes observations. Il m'arrive d'éprouver un certain « engourdissement » qui m'empêche d'évoluer à l'intérieur du corps du sujet ; je dois arrêter mon exploration, ou utiliser une autre méthode, qui consiste, non pas à aller chercher les informations à l'intérieur du corps du sujet, mais à les faire venir vers moi.

Je me concentre alors sur la santé de cette personne.

1° Soit je ne vois rien, la personne est supposée être en bonne santé, et il n'y a pas d'information à obtenir.

2° Soit je perçois les troubles que ressent la personne en moi-même. Parfois, les deux phénomènes d'information se produisent en même temps, mais les résultats obtenus ne sont pas aussi significatifs que ceux obtenus par la méthode « d'incorporation ».

Une autre méthode consiste en la détection paranormale des maladies, par l'observation de l'aura.

La détection d'une maladie dans l'aura est très délicate, de plus, la maladie est susceptible d'être perçue par cette méthode, bien avant qu'elle ait pris forme dans le corps

232

physique. La raison en est la suivante : chaque organe est animé par l'aura et peut, dans certaines conditions, modifier la coloration et l'intensité de celle-ci. C'est donc à partir des différentes colorations et de certaines anomalies de l'aura, qui « flotte » autour de chaque organe, que le clairvoyant peut se rendre compte de l'activité d'un organe et de son état. Chez une personne en bonne santé, la couche énergétique constituant l'aura se présente d'une façon régulière dans sa forme, dans son volume, et dans sa coloration ; il faut également tenir compte de l'état mental et psychique du sujet, qui modifie la coloration aurique de façon assez déconcertante.

Une irrégularité de la forme de l'aura peut être perçue par clairvoyance, mais aussi de la façon suivante :

Le sensitif doit avancer lentement la paume d'une de ses mains vers la personne à explorer. Lorsqu'une sensation de chaleur se fait sentir, en général entre vingt à cinquante centimètres du sujet, il faut alors arrêter la progression en avant, et faire glisser la paume de la main, sur toute la surface aurique délimitée par cette sensation de chaleur. Une dénivellation anormale du pourtour dénote une faiblesse à cet endroit, en rapport avec l'organe.

Ce procédé est bien connu de certains magnétiseurs, dont le but n'est pas de diagnostiquer, mais de « recharger » les zones perturbées d'un patient.

Dans un état de fatigue générale, la forme de l'aura peut rester régulière, mais avoir un volume assez réduit. L'importance du volume aurique dépend de la puissance vitale de l'individu.

Les incurvations A et B (voir figure p. 234) laissent supposer que le sujet présente une faiblesse dans la région du cœur. Mais il peut s'agir de tout autre chose.

Le Professeur Kirlian découvrit un jour, par hasard, que le corps humain, soumis à un courant de haute fréquence, émettait parfois un bref éclat lumineux au niveau de l'électrode ; il se demanda alors s'il était possible de fixer ce phénomène sur une plaque photographique.

De longues recherches aboutirent à la création d'un appa-

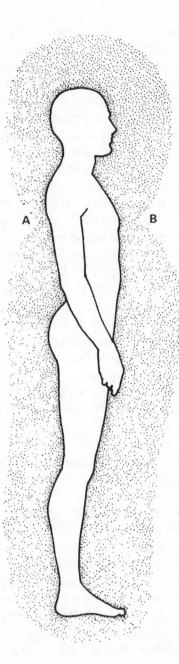

reil capable de photographier sans danger un objet soumis à un champ de haute fréquence. Les clichés obtenus montrent que toute matière, mais surtout les êtres vivants, émet un rayonnement.

Les êtres vivants ont une structure qui diffère totalement de celle émanant des choses inanimées. C'est ainsi que le Professeur Kirlian est arrivé à mettre en évidence une partie de l'aura, connue depuis les temps les plus reculés, par les clairvoyants. En effet, cet appareil permet d'étudier scientifiquement une zone énergétique, qui ne peut être assimilée à l'énergie électrique ou électromagnétique, sorte de double du corps humain.

Un savant venu consulter le Professeur Kirlian, lui soumit deux feuilles fraîchement cueillies, et provenant de plantes de même espèce. A l'œil nu, les feuilles étaient semblables, et logiquement, les photographies obtenues par l'appareil du professeur auraient dû montrer des similitudes ; cependant, il n'en était rien. Kirlian eut la solution de ce phénomène en apprenant que la seconde feuille provenait d'une plante malade.

Suivant ses observations, il est possible de déceler à l'avance la maladie d'une plante, d'après les altérations de son corps énergétique.

Cette découverte est importante sur le plan scientifique, puisque l'on sait que le même processus est applicable au corps humain.

Le corps énergétique de l'homme n'est désormais plus un mythe.

XXXIV

L'ENVOÛTEMENT :
(Empoisonnement du psychisme)

L'envoûtement est l'acte qui consiste à impressionner à distance physiquement, ou psychiquement, le plus souvent les deux à la fois, un être vivant. Je ne parlerai pas des méthodes utilisées par les jeteurs de « sorts », ce serait vouloir initier et encourager les personnes dont les instincts naturels sont trop souvent tournés vers la vengeance, l'intérêt ou la méchanceté.

DIFFÉRENCES D'ANALOGIE ENTRE LA POSSESSION, L'ENVOÛTEMENT ET L'AUTO-ENVOÛTEMENT

J'ai beaucoup hésité, avant d'exposer dans le cadre de cet ouvrage, mes observations faites dans cet obscur domaine.

Depuis des temps immémoriaux, les hommes ont cru à l'influence d'éléments invisibles. Des Démons malsaisants remplissaient le monde. Les hommes se souciaient d'écarter les forces maléfiques, dont l'influence pernicieuse engendre le malheur, la maladie et la mort.

Jésus chassait les démons : « Le soir, on amena auprès de Jésus plusieurs démoniaques. Il chassa les esprits par sa parole... » (Matthieu, chapitre 8, verset 16.)

L'état de possession est celui dans lequel se trouve un individu, sous l'emprise d'un esprit plus ou moins malveillant, « habitant » le corps physique de la « victime ». Cet état peut être le résultat d'une intrusion dans le corps physique d'un individu, par un être humain en état de dédoublement, ou par un désincarné. Il y a, bien sûr, les hystéro-épileptiques caractérisés par des crises nerveuses, dites attaques de grande hystérie, parfaitement caractérisées : extrême violence, cris et des mouvements convulsifs.

Les contorsions, attitudes et cris d'un « possédé » ne sont pas tout à fait les mêmes et peuvent être variables. Il est souvent difficile, scientifiquement de faire la différence entre les deux états.

De toute façon, avant de faire quoi que ce soit, la personne perturbée doit être examinée par un médecin, afin de se rendre compte, objectivement s'il ne s'agit pas d'une maladie du ressort de la médecine.

Il se peut également, que ces troubles caractéristiques soient le résultat d'une suggestion ou d'une autosuggestion obsédant le sujet, provoquant des contractions, ou autres manifestations motrices involontaires. Dans ce cas, la pratique d'une contre-suggestion est nécessaire pour rétablir l'ordre dans l'équilibre psychophysique de l'individu.

L'auto-envoûtement :

C'est l'idée obsédante d'être envoûté qui crée un auto-empoisonnement psychique.

Si une personne pense avoir été ensorcellée, elle peut ressentir des effets produits par son imagination, tomber malade, et même se détruire totalement.

L'envoûtement :

L'état d'envoûtement est celui dans lequel se trouve une personne, sous l'action télépsychique d'un individu situé à l'extérieur du corps physique du sujet.

Je ne saurais jamais trop mettre en garde les personnes incrédules, ou mal informées, des dangers que présentent certaines actions psychiques, ou d'autre nature. Apparemment invisibles, elles peuvent les enserrer dans un réseau maléfique. Elles se retrouvent dans un magma psychique inextricable, aveuglées, se laissant aller, subissant perturbations psychiques, maladies psychosomatiques ou non, le plus souvent incurables, voire même mortelles.

Les principaux symptômes qui peuvent faire penser à un envoûtement-disharmonie sentimentale, se produisent brusquement sans raison valable, avec disputes fréquentes, état coléreux persistant, succession d'ennuis qui n'en finissent pas ; plus rien ne vous réussit, vos amis semblent se détourner de vous.

Cet ensemble de symptômes vous met dans un état dépressif, toutes les portes se ferment devant vous, et le désespoir vous envahit progressivement.

Les effets perturbateurs peuvent aggraver la situation, par des manifestations plus ou moins effrayantes, telles que : apparitions fantomatiques, nuits agitées, cauchemars fréquents, disparitions ou déplacement d'objets, souvent les deux à la fois, morts mystérieuses d'animaux domestiques, arbres qui se dessèchent dans votre propriété, plus rien ne pousse sur vos terres, morts d'animaux, bruits anormaux dans votre maison, taches allant du jaune clair à la couleur café au lait, ou taches rouges se produisant anormalement sur les vêtements, etc.

Les manies qu'ont certaines personnes psychiquement déséquilibrées de maltraiter, à l'aide d'aiguilles, ou par des traitements plus ou moins sadiques, des poupées faites à l'image d'une personne sur laquelle elles ont le désir d'en faire ressentir les effets, sont des pratiques rituelles de magie noire, de basse sorcellerie. Mais ce n'est pas parce que des maniaques torturent des poupées que cela se répercute sur leurs victimes, mais parce que ces conditions les motivent psychiquement pour émettre, dans des conditions télépsychiques particulières, des effets nocifs, connus sous le nom d'envoûtement. Ces effets sont en partie transmis par voies télépathiques, mais il se produit aussi des « élémentaux », plus communément appelés « élémentals ».

Ces élémentaux étant des formes mentales semi-matérialisées, dans certaines conditions, par des esprits puissants, sont, à bien dire, des ennemis faisant partie des plus tenaces. Ils peuvent être perçus par les « victimes » et même, bien souvent, par des témoins, sous les formes les plus diverses. Ils sont pourvus d'une vie qui leur devient propre.

Ce sont, en quelque sorte des animaux semi-matériels, créés par l'esprit du « magicien », exécutant ses ordres. Heureusement, les élémentaux ne sont pas parfaits ; ils sont influençables et, lorsqu'au cours d'une protection de la « victime » faite par un praticien averti, ces créatures ne sont pas réduites totalement à l'impuissance, elles peuvent se retourner contre leur « maître ». Il se produit alors ce que l'on a coutume d'appeler le « choc en retour », faisant subir au magicien les effets nocifs qui étaient destinés à la victime.

Il y a aussi les égrégores

L'égrégore est une création engendrée par une pensée collective. Ce dernier se présente sous l'aspect d'un gigantesque et monstrueux élémental, difficile, le plus souvent impossible à vaincre.

J'ai connu une amie qui a voulu, malgré mes conseils, participer, dans une collectivité, à la création d'un égrégore afin d'étudier le phénomène. Peu de temps après, elle fut l'une des victimes de cette abominable créature. Une main invisible lui arrachait les cheveux, elle fut torturée physiquement et psychiquement sans que rien ne puisse arrêter le phénomène durant plusieurs mois. Elle me fit des appels désespérés sans que je puisse, dès le début, lui porter secours. J'ai cependant continué la lutte qui fut de longue durée. Le monstre psychique est à présent hors d'état de nuire, mais mon amie demeure cependant encore bien traumatisée, car l'effet secondaire est à présent celui d'un auto-envoûtement que je m'efforce de neutraliser.

Certaines recherches récentes sur la télépathie apportent un éclairage nouveau sur les phénomènes de la sorcellerie (1). Le

(1) *Pouvoirs étranges d'un clairvoyant,* par R. Réant et A. Sotto, Tchou, 1977, Paris.

Dr Milau-Ryzl, un parapsychologue tchèque qui travaille aux Etats-Unis, a réalisé une série d'expériences au cours desquelles la concentration de l'agent sur le sujet atteint de crises d'asthme entraînait réellement un accès d'étouffement.

Au cours d'essais du même type, il a été transmis au sujet russe Nikolaiev des états dépressifs. Il dit en avoir ressenti les effets durant plusieurs heures.

De même, il a été possible de provoquer expérimentalement à distance des angoisses et de violents maux de tête. Dès lors, n'est-il pas vraisemblable qu'un individu puisse se concentrer sur ses pensées de maladie et de destruction et les diriger à distance vers une éventuelle victime ?

J'ai vérifié moi-même cette possibilité avec des personnes qui ont bien voulu se prêter à cette étude, afin d'étudier le mécanisme télépsychique dont une partie est, en certains cas, nécessaire pour pratiquer le « désenvoûtement ».

XXXV

PEUT-ON DÉSENVOÛTER
ET APPRENDRE A DÉSENVOÛTER?

Personnellement je me suis aperçu qu'il n'existait pas une méthode unique pour opérer un désenvoûtement. Les cas d'envoûtement présentent des formes très diverses, la façon d'opérer dépend de chacun de ces cas. La méthode que j'ai décrite dans l'ouvrage, *Pouvoirs étranges d'un clairvoyant* (Tchou 1977), page 229, est l'une d'entre elles.

Il faut savoir, tout d'abord, que pour désenvoûter ou lutter contre un cas de possession, il faut être pur, dégagé de toutes mauvaises intentions. L'opérateur va entrer en lutte directe contre des entités dangereuses ; je recommande une extrême prudence pour celui qui opère, et pour la personne qui subit.

Comme dans tous les domaines touchant aux disciplines spirituelles, il y a parfois des observations assez troublantes. Par exemple, celle d'une jeune femme venue me confier ses inquiétudes ; voici son récit :

« Il y a deux mois, je me suis rendue dans le midi de la France, pour consulter un prêtre exorciste qui, me voyant arriver, me dit aussitôt : « Oh ! ma pauvre dame, vous êtes très prise, les forces du mal sont sur vous ! Il faut que je vous fasse un grand exorcisme, pour cela, il faut que vous portiez une chemise de nuit transparente et des bottes. » « Sur le coup, cela m'a semblé un peu curieux, puis je me suis dit : J'ai tout de même affaire à un prêtre dans une église, un saint homme. Et comme je sombrais dans le désespoir, accablée par toutes sortes de malheurs d'origine incompréhensible, mystérieuse, j'ai pensé que j'étais ensorcelée. Je refis donc le trajet vers Paris et revins un jour avec le nécessaire, afin que le prêtre me « dégage » du mauvais sort. J'avais hâte de le revoir. Arrivée chez lui, il me fit me déshabiller entièrement, revêtir ma chemise de nylon, enfiler mes bottes, puis me fit allonger sur une grande table couverte d'un tissu noir. Toute tremblante, j'allais subir la libération que j'attendais avec impatience. Il fit de longues et interminables passes le long de mon corps, puis, visiblement excité, il me demanda de faire des choses obscènes. Au début, je refusai. « Cela est nécessaire pour me mettre en condition, nécessaire pour agir », me dit-il. La séance se termina, et je lui remis les 500 francs demandés pour la « consultation ». « Revenez la semaine prochaine. » « Je ne peux pas, dis-je à ce prêtre, payer une telle somme, plus mon voyage. » « Nous pouvons nous arranger, dit-il, il suffit que vous m'envoyiez des clientes... » Je me suis rendue une deuxième fois chez cet homme. La seconde séance a été si démente, que je me suis sauvée en m'habillant en toute hâte. »

Une autre jeune femme m'a dit être allée consulter un exorcisme (celui-ci n'était pas un prêtre). Il opérait par la « libération sexuelle, en tout ce que cela comporte », etc.

Je ne ferai pas la liste des histoires de ce genre, mais je dois remarquer que, curieusement, ces méthodes-là n'arrivent qu'à des femmes, ou à des jeunes filles, généralement assez jolies.

Tout ce que l'on peut dire de ces façons d'exorciser, c'est qu'elles ne semblent pas être de source divine !

Pour le désenvoûtement, la prière peut être une solution, mais il ne faut pas, dans la mesure du possible, rester comme un enfant qui compte inlassablement sur ses parents ; car ceux-ci se désolent, non parce qu'ils doivent l'aider, mais parce qu'ils ne le croient pas en mesure de prendre quelque initiative. L'enfant « débrouillard » fait la joie des parents. A ce sujet, je vous rappelle les paroles de Jésus, « selon Thomas » : Celui qui cherche trouvera et à celui qui frappe, on ouvrira.

*
* *

Logia-108 :

« Celui qui boit de ma bouche deviendra comme moi ; moi aussi je deviendrai lui, et ce qui est caché lui sera révélé. » Ce dernier passage est la clé de voûte.

XXVI

ENVOÛTEMENT-SORTILÈGE

La sombre réalité de l'existence des sortilèges n'est cependant pas encore bien admise par grand nombre d'individus, surtout dans les pays dits les plus civilisés dans lesquels, d'ailleurs, les victimes de ces pratiques démoniaques sont les plus nombreuses, pour la bonne raison que les gens « qui n'y croient pas » sont les plus nombreux. Nous connaissons trop, hélas, le nombre de personnes atteintes de maux « mystérieux », qui se comportent comme des malades bien portants, ou qui meurent en « pleine santé », etc.

Afin d'en donner une idée, voici un cas parmi tant d'autres :

Tout a commencé lorsque j'ai reçu une lettre de Nice, le 15 juin 1977.

« Cher Monsieur,

Suite à ma communication téléphonique de jeudi soir, je vous demande, par cette correspondance, si vous pouvez venir à mon secours et à celui de mes trois enfants.

Je crois vous avoir dit, au téléphone, que depuis longtemps, dans ma famille, nous sommes cruellement éprouvés par le mauvais sort. Il y a quelques années, j'ai perdu un frère qui a souffert affreusement, ensuite mon mari. Tous les deux, chose étrange, sont morts de la même manière, ils avaient comme perdu la tête avant de tomber réellement malades. Ils ne savaient plus où ils étaient, ce qu'ils faisaient. Ensuite ils sont tombés très mal...

Quel est donc ce mal étrange qui les a emportés ?... Je me pose cette question très souvent, mais nul ne le saura. Près de chez moi, des familles ont été décimées comme la mienne. Je suis bien persuadée que c'est le même clan qui continue d'agir, et ceci depuis fort longtemps, et certains de ses membres ne sont pas loin de chez moi, j'en suis certaine.

Jusqu'à présent, j'ai lutté parce que j'avais un tempérament assez fort, mais depuis six mois environ, je me sens partir de la même façon que mon mari. Je souffre de tout le corps, de la tête aux pieds. Je fais des efforts considérables pour reprendre le dessus, mais je ressens comme une force contraire, extérieure à moi-même m'arrachant constamment à tout ce que je veux faire, et où je veux aller, comme si j'étais harcelée par une force qui m'obsède, partout où je suis. Maintenant je suis rendue à ne plus pouvoir conduire ma voiture, donc je reste prisonnière chez moi, coupée de toutes relations.

J'avais aussi un bon sommeil, actuellement je dors très mal. J'ai des jambes en carton, mon cerveau se vide, je suis comme déséquilibrée, je perds mon centre de gravité, en marchant, j'ai du mal à suivre une ligne droite, j'ai une digestion très pénible et ne mange pas beaucoup. La vie devient impossible pour moi, je n'ai que des échecs, j'ai perdu l'affection de mes enfants qui ont été dressés contre leur père et moi-même. Cela remonte déjà à quelques années ; sur le plan matériel, j'ai sollicité des emplois sans résultats, il m'est impossible de louer quoi que ce soit dans ma propriété ; je cours vers la ruine, si cette malchance continue. Pour le moment, je perçois la pension de réversion de mon mari qui était commerçant. Dans toute ma belle famille, qui est amie du clan, je rencontre une haine farouche, une hostilité sans pareille, beaux-frères, belles-sœurs, neveux et nièces, etc., s'acharnent sur moi et mes enfants. Ils se ruent sur nous sans raison, c'est étrange !

Mes meilleurs amis me fuient, ne me regardent plus, comme si j'étais une pestiférée qu'on ne peut supporter près de soi. Des personnes à qui je n'ai fait que du bien, des commerçants où je suis cliente régulière, se dressent contre moi, il y a même un individu pas très fin qui, poussé par le « clan », est venu m'attaquer chez moi dans la journée, il voulait me frapper. Sur les conseils d'un voisin, je suis allée me plaindre à la police, càr j'ai une vie droite et honnête en tous points. Les policiers m'ont répondu qu'ils n'avaient jamais vu une cabale semblable, et qu'ils n'y comprenaient rien, mais que la mégère qui habite la maison située à une vingtaine de mètres de la mienne, était surveillée par la police.

En ce qui me concerne, je crois vous avoir décrit le principal, ce serait interminable de vous décrire le vrai et terrible calvaire que j'endure.

Pour ce qui concerne mes enfants, la situation est aussi dramatique. Nous avons dit souvent, mon mari et moi, que nos deux filles et mon fils ont dû être envoûtés lorsqu'ils étaient encore enfants, car ils étaient comme nous, bafoués de partout. Mais depuis une dizaine d'années, nous nous étions rendus compte que leur comportement à notre égard devenait de plus en plus bizarre. Maintenant, ils ne sont plus normaux ; intelligents et éduqués, ils ne sont que l'ombre d'eux-mêmes. Il est impossible d'engager une conversation normale avec eux. Ils sont dans un état second et voient le mal partout. Personnalités agressives, ils sont devenus des êtres passifs. Tout est stoppé en eux ; un vrai blocage psychique et moral. Je pense que mon fils, qui est l'aîné de mes trois enfants, est plus atteint que ses deux sœurs ; il a des pertes de mémoire, des syncopes, et se jette sur son lit, disant qu'il est toujours fatigué. Lorsqu'il marche, il lève la tête haute, son regard fixé sur je ne sais quoi, comme s'il était téléguidé, agissant sous une pression quelconque. Aglaé, la plus jeune de mes filles, est contractée, crispée et, comme son frère, se jette constamment, fatiguée, sur son lit. Leur comportement est mystérieux. Tous les deux ont de véritables crises d'agressivité ; à un certain moment, j'ai craint qu'ils aient perdu la raison, à tel point qu'ils ne pouvaient plus supporter nos présences (leur père et moi). Il en était de même pour Solange, mon autre fille ; cependant, chez elle, le désordre semblait moins marqué. Nos trois enfants, complètement déchaînés contre nous, nous frappaient brutalement. Notre vie était un enfer. Nous avons fait constater leur état étrange par des amis qui avaient connu nos enfants dans un état normal ; ces personnes sont stupéfaites de ce changement de comportement et se demandent ce qui arrive à ces pauvres gosses. Nos enfants gentils, affectueux, sont devenus aux yeux de tous trois véritables monstres. Nous n'arrivons plus à les comprendre ; ils se sont écartés aussi de leurs meilleurs amis. Je puis vous affirmer que les personnes qui ont bien connu nos trois enfants se demandent de quelles machinations ils ont pu être victimes, pour se comporter en déséquilibrés.

Ils ont quitté la maison familiale depuis trois ans, pour aller vivre chez une personne de mauvais augure, amie du « clan maudit ».

Mon mari décédé, je reste toute seule devant ce drame familial. Je suis allée, accompagnée par une amie restée fidèle, expliquer le comportement de mes enfants à un psychiatre ; il les a examiné tous les trois, et m'a dit qu'il ne comprenait absolument rien à leur état mental, que la situation était insoluble, que leur état ne relève d'aucune base médicale. Le détraquement cérébral dont ils sont atteints, et surtout cet état constant de rébellion incompréhensible à l'égard de leurs proches, tout cela explique un viol de la conscience ; pour guérir mes enfants, il faudrait restructurer leur personnalité qui a été détruite complètement. Alors ils redeviendraient normaux comme avant. Lui n'y pouvait rien. Comment faire ?... J'en suis désespérée, la santé et le courage commencent à me manquer. Mon mari m'avait dit plusieurs fois qu'ils avaient peut-être été hypnotisés à notre insu, mais je n'y crois pas. Je me demande vraiment par quels moyens on peut anéantir des êtres de cette façon. J'ai subi beaucoup de dégâts dans ma propriété. Chose bizarre, les peintures de ma grille en fer ont été toutes rongées en l'espace d'un mois, je suis obligée de les refaire. Une voisine m'a dit que quelqu'un avait arrosé ces peintures d'un acide (je n'ose y croire, pourtant les faits sont là).

Dans mon jardin, je ne peux rien récolter, les légumes ne poussent plus, mes arbres fruitiers meurent ; ils étaient pourtant en plein rapport, c'était une nouvelle plantation, les autres arbres meurent aussi, ainsi que les framboisiers, groseillers, cassis, etc. Il y pousse une herbe sauvage que je n'ai jamais vue dans le jardin. Peu de temps avant que mon mari ne meure, nous avons trouvé dans notre jardin et dans notre cave deux énormes crapauds ; nous nous sommes demandé comment ces bêtes avaient pu pénétrer dans notre cave, qui était cependant bien close ; des branches d'aubépine noire, et des petites branches cornues, des baguettes dont l'écorce pendaient, avaient été jetées dans notre jardin, nous avions trouvé cela très drôle. Il y a longtemps, nous étions encore heureux à cette époque-là, cela nous avait paru suspect : après, le malheur s'est abattu sans arrêt sur nous.

Des voisins m'ont dit souvent que c'est ma propriété qui est visée ; depuis que mes parents l'ont achetée nous sommes en butte à toutes les méchancetés. Les pires agissements ont été employés pour nous l'arracher. Des jaloux avaient essayé de nous faire exproprier, en vain. Le maire était contre ce projet, la ville n'ayant pas d'argent pour rembourser notre bien et celui des autres.

Pas très loin de chez moi, il existe un clan maudit formé d'hommes et de femmes de mentalité et de conduite horribles ; les membres de ce clan se réunissent tous les soirs près de la plage, où ils retrouvent des amis semblables à eux. Ces personnes possèdent, paraît-il, de mauvais livres et elles s'en servent pour abattre les malheureux à qui elles veulent du mal.

Je connais deux commerçants dont les affaires étaient prospères ; en l'espace de six mois, tout est tombé à zéro ; l'un d'eux a des troubles mentaux et ne peut plus travailler, l'autre ne peut réussir à vendre son fond ; c'est la vraie débâcle. Je sais que des membres du clan étaient jaloux de ces deux commerçants depuis longtemps.

Le chef du clan maudit essaie par tous les moyens d'acheter le maximum de propriétés à un prix dérisoire ; il semblerait d'ailleurs, que par ces procédés diaboliques, il y réussit. Il s'est même permis d'élever une petite construction sur un terrain appartenant à la ville ; les autorités sont au courant et personne n'ose rien dire. Cet homme terrible a maintenant plus de soixante-quinze ans, il est d'une laideur peu commune. Il faudrait une lettre de plus ce cent pages pour vous mettre au courant de ce que nous avons pu endurer, et que malheureusement, mes enfants et moi endurons encore de la part de ce clan luciferien.

Pour le moment je suis désespérée, je me demande si un jour je verrai la fin de mon calvaire : la mort de mon mari, l'état dans lequel sont mes enfants, la menace de ruine pour ma propriété, ma santé qui commence à se dégrader ; coupée de toutes mes relations, je fléchis sous le poids de mon chagrin.

Sachant que vous êtes quotidiennement face aux malheurs des autres, je suis persuadée que vous me comprendrez, et que vous viendrez à mon aide.

J'ai aussi mon chien qui est malade ; depuis plus d'un an, il mange bien et pourtant il maigrit. Je puis vous assurer que cette bête sait repérer les membres du clan ; quand ils passent à côté de chez moi, mon chien aboie de toutes ses forces vers eux, comme s'il sentait le danger.

Je ne sais si les faits que je vous cite ont une importance : il y a quelques années, mon mari était encore en vie et ma mère aussi ; quelqu'un s'était permis de jeter une quantité d'œufs par une petite fenêtre qui éclaire notre escalier. Le même jour, ma fille Aglaé avait un accident causé par une branche d'arbre mort qui s'était détachée de son fût, ouvrant une large plaie sur le visage de ma fille.

Mon mari avait constaté plusieurs fois que, par périodes, il perdait toute sa clientèle ; cela durait pendant un ou deux mois, puis certaines personnes revenaient. Il ne pouvait conserver aucune vendeuse pour l'aider ; cela s'est produit plusieurs fois. A sa mort j'ai vendu, ou plutôt bradé son commerce, à un prix dérisoire. Dès que la vente à été conclue, mes trois enfants sont partis de chez moi pour aller, comme je l'ai déjà dit, habiter chez une amie du clan maudit. Puis de temps à autre ils revenaient à la maison pour me frapper et enlever tout ce qu'ils pouvaient emporter. Sous leurs coups, je devais fuir de ma maison pour aller me réfugier chez une amie qui avait bien voulu me donner asile pendant deux jours.

J'avais sur mon corps les traces de leurs coups mais, étant donné que c'étaient mes enfants qui me frappaient ainsi, je n'avais pas osé porter plainte à la gendarmerie. Un ami de mon mari, qui avait été mis au courant de ma triste situation, avait tout de même mis la police au courant. Ils étaient surveillés et protégés par le clan maudit, et on avait peur car il était impossible de les faire soigner contre leur volonté ; ils étaient devenus majeurs.

Le comportement de mes enfants était indescriptible ! Les voisins et amis étaient stupéfaits, jamais ils n'avaient vu pareille chose ; des enfants bien élevés qui étaient devenus des démons. Ils pénétraient dans ma propriété en criant au secours et couraient comme de véritables fous dans les rues, ou se mettaient auprès de la porte de l'amie du clan, recherchant sa « protection ». C'était dramatique, ils venaient faire des déprédations dans ma propriété ; n'ayant pas beaucoup d'argent, je n'ai même pas pu réparer tous les dommages qu'ils ont causés. C'est impensable que des enfants puissent faire cela à leur mère.

L'ami de mon mari m'avait dit que quelqu'un de la police lui avait laissé entendre que ce drame familial était d'origine occulte ; il avait déjà vu quelque chose comme ça où il était avant, mais j'ignore où.

Lorsque j'ai été payée par la personne qui a acheté le commerce de mon mari, le notaire a remis leur part à mes enfants ; à cette occasion il m'a confié : « Je n'ai jamais vu d'enfants dans cet état. Ils sont à soigner, mais vous n'y pouvez rien, ils sont majeurs. »

Au bout de quelques mois, ils ont dilapidé leur argent, je me demande de quelle façon.

Ma fille Aglaé, n'ayant plus un centime en poche, est venue un jour me demander de lui donner de l'argent; par peur, je lui en ai donné un peu et puis elle a recommencé à me maltraiter. Mes enfants rejoignent tous les gens du clan qui nous ont fait du mal, c'est à peine croyable! Jamais je ne pourrai vous expliquer la bizarrerie de cette affaire.

Pas très loin de chez moi, une femme a aussi perdu son mari; elle a cinq enfants. Chez elle il s'est passé à peu près la même chose que chez moi, mais elle avait peur, elle est partie habiter la ville voisine, elle est dans la misère; elle aussi est certaine qu'elle est victime du clan, dont elle connaît les membres mieux que moi. Ses enfants n'ont que la méchanceté en eux.

Mes enfants viennent de plus en plus rarement à la maison, mon fils ne vient presque jamais. Aglaé a la tête montée par le clan maudit; jamais je ne relève ses propos, je n'ai qu'une peur, c'est qu'elle me donne de mauvais coups, car devant une amie qui était venue me rendre visite, ma fille avait voulu me précipiter dans la cage d'escalier. C'est mon amie qui l'en avait empêchée. Il y a maintenant quelques années que cela s'est passé, et rien n'a pour ainsi dire changé dans son triste comportement.

Que dois-je faire pour mettre ma propriété à l'abri du clan maudit? Verrez-vous une amélioration possible dans l'état d'hostilité de mes enfants, et comment dois-je faire pour me protéger contre le clan? Mes enfants redeviendront-ils normaux comme autrefois?

L'amie du clan qui loge mes enfants, vient tous les jours, sans exception, à l'une ou l'autre de mes fenêtres en criant : « Vous avez perdu vos enfants, vous ne les reverrez plus et vous crèverez ». Ces paroles sont dites de façon très vulgaire. Je n'ai jamais répondu à cette redoutable femme et cela dure depuis des années. J'ai beaucoup de peine à supporter cela tous les jours; et si par malheur elle voyait des personnes venir chez moi cette créature s'empresserait d'attaquer mes amies en leur parlant de mes enfants et en me diffamant ensuite et ce, sans se gêner aucunement. Ella l'a déjà fait. Mes relations, par peur de subir les mauvaises actions de cette femme et de son clan, ont renoncé à venir chez moi et ainsi je vis toute seule, coupée de tout le monde.

Des faits ont intrigué les gens du quartier. Les enfants de cette femme maudite avaient cessé toutes relations avec leur mère depuis une quinzaine d'années, ils s'étaient injuriés et battus avec elle et avaient honte de la triste réputation de leur mère. Ce qu'il y a de plus surprenant, c'est que lorsque j'ai perdu mon mari, mes enfants n'étaient plus normaux, dressés contre moi, menant une vie d'enfer ; les enfants de cette redoutable femme sont revenus vers elle, l'entourant des meilleurs soins, et sont devenus les amis intimes de certains membres de ma famille. Il y a là un enchaînement que je ne comprends pas. Ses propres enfants ont-ils eu peur de subir eux aussi les mauvaises actions de leur mère, qui ne parlait plus que de retour d'affection de ses enfants, et aussi... du comportement mystérieux de mon fils et de mes deux filles ?

Personne, dans le quartier n'a compris cette drôle d'affaire ; cette femme terrible à comme amie intime une cartomancienne qui a très mauvaise réputation dans le pays.

S'il m'est possible de louer quoi que ce soit dans ma propriété, de laquelle je ne peux plus retirer aucun rapport, cette femme a loué tout ses locaux disponibles, et très cher, à des gens qui se laissent manipuler par elle, tellement ils la redoutent.

Excusez-moi de vous écrire une si longue lettre, mais je voulais vous expliquer ma détresse, autant morale que matérielle. Je pense que les faits que je vous ai énoncés vont vous éclairer sur le comportement mystérieux de mes trois enfants. Je n'ai plus de famille proche, il ne me restait que mon fils et mes deux filles, qui ont été démolis, si l'on peut dire.

En espérant que vous pourrez neutraliser ces ravages, avec mes sincères remerciements à l'avance, recevez, cher Monsieur Réant, mes meilleures salutations. »

Au moment où je termine ce livre, les enfants de cette dame sont redevenus normaux et affectueux envers leur mère. L'ordre semble être rétabli, à part quelques altercations avec une vieille femme agressive.

XXXVII

LA POSSESSION : SUPERSTITION OU RÉALITÉ ?

Récit de Madame T :

« C'était la nuit, je me suis levée et j'ai regardé l'heure. Il était deux heures moins vingt, puis je me suis recouchée. Quelques instants après, j'ai ressenti comme un tremblement de terre ; une vibration qui secoua tout mon lit. Cela m'a beaucoup surprise et, presque simultanément, une force s'est jetée sur moi. J'ai cru qu'il s'agissait d'un corps humain, d'un cambrioleur qui voulait m'étouffer, ou m'étrangler, et j'ai mis mes mains en avant pour le repousser. Il y avait le poids d'un corps, mais aucune forme physique. Ma frayeur fut de plus en plus grande. J'ai appuyé sur l'olive du contact électrique, la lumière n'est pas venue. Alors j'ai réalisé que cela n'était pas naturel. J'ai fait deux signes de croix, et j'ai voulu repousser violemment cet esprit. C'est ce qui s'est produit. Le lendemain matin, lorsque je me suis levée, j'ai pensé que j'avais rêvé et qu'il s'agissait d'un cauchemar. Ma montre s'était arrêtée à 2 h 05. Je n'en ai parlé à qui que ce soit durant un certain temps, parce que je trouvais cela très troublant et ennuyeux.

Une autre nuit, les vibrations ont recommencé ; moi et mon chien en même temps fûmes soulevés dans l'espace, planant dans ma chambre comme si nous n'avions plus de pesanteur. Cela paraissait irréel. Il y avait, dans cette chambre, une petite porte et là, un homme se tenait debout, tournant le dos. Il portait un pantalon bleu d'ouvrier, et une chemise blanche qui envoyait une lumière phosphorescente. Il a tourné la tête. Il avait des cheveux longs, gris, une barbiche, et des yeux affolants, très foncés, d'un marron noir, très irradiants ; un petit sourire moqueur marquait son visage. J'ai repoussé brutalement la porte, pensant qu'il était le diable ; c'est à ce moment là que tout est rentré dans l'ordre, et je me suis retrouvée sur mon lit, ainsi que mon chien. Puis j'ai ressenti une impression de semi-comateuse indéfinissable. Mon fils est dans un état de dépression depuis trois ans.

R. — *Etait-il chez vous durant l'apparition des phénomènes que vous venez de me décrire ?*

T. — Non, il était en clinique. Je l'ai fait revenir chez moi. Depuis il dégage un climat nerveux, très dur à supporter.

Il y a quelques jours, j'étais seule, dans un état nerveux excessif, et conduisais ma voiture, lorsque le pare-brise craquela complètement, en produisant un grand bruit, semblable à une explosion. Je pensais qu'il s'agissait d'un phénomène qui s'était produit dans le verre, et je n'y ai pas trop prêté attention. Hier soir, dans des circonstances analogues, le pare-brise a encore « explosé », en produisant une lueur ; il y a eu un éclair, entre un réverbère et ma voiture, tandis que le pare-brise éclatait.

Ce qui se passa ensuite, dans la même semaine m'a beaucoup troublée. Mon fils était dans la maison, et la question se posait de savoir s'il devait être réinterné ou non. Personnellement j'étais absolument contre, parce que je pensais qu'il subissait un problème psychique ; je pensais même que c'était plus grave, qu'il était « habité », car lorsque ses crises surviennent, je vois son visage devenir mobile et prendre différentes apparences. Jeudi dernier, par exemple, tout-à-coup son visage a complètement changé. Il était devenu extrêmement beau. Il a 26 ans. Tout blond, il avait l'apparence d'un Archange avec de beaux yeux, les paupières extrêmement ourlées, alors qu'il n'est pas très beau dans son état normal. J'étais médusée... Nous étions face à face, chacun sur un canapé. Je le regardais très attentivement, me disant qu'il ne ressemblait à personne de la famille ; c'est quelqu'un qui « l'habite », qui est là, et cet être que je ne connaissais pas s'est mis à m'insulter furieusement. Le phénomène s'était déjà produit quatre fois en trois ans. J'ai été extrêmement troublée, parce que j'ai toujours reconnu la même force qui m'agressait ; cette fois, je me suis redressée. J'ai regardé fixement ce garçon qui n'était pas mon fils, en lui disant : « Ça suffit, je n'accepterai plus d'être injuriée comme cela... » J'ai levé le ton, et tout s'est arrêté, mon fils m'a paru revenir à la surface. Il m'a regardé hébété, et m'a dit : « Qu'est-ce que tu as ?... pourquoi te fâches-tu ? » Alors, je lui ai répondu : « Ce n'est rien, tu es fatigué. » Reprenant la parole, il me demanda ce qui s'était passé. Il ne se rappelait de rien. « Va te coucher », lui répondis-je. Et il est allé se mettre au lit.

Aujourd'hui, j'ai téléphoné à ma mère, et lui ai raconté cette histoire de transfiguration de mon fils. Elle a poussé un cri, et m'a demandée : « Quand cela est-il arrivé ? » Je lui ai répondu : « Jeudi », et elle m'a dit : « Parce que, dans la nuit de vendredi, j'ai rêvé d'un très beau jeune homme blond, qui avait des cheveux dorés, qui descendait de cheval. Il était en smoking, avec une chemise blanche éblouissante, il m'a dit : " Venez danser ! " Je lui ai répondu : " Il y a des années que je ne danse plus. " Ce jeune homme m'a rétorqué. " Pourtant, autrefois, vous dansiez si bien... " Et il disparut. »

Ma mère était très troublée. Je pense que mon fils est réellement « habité », et qu'il a beaucoup de mal à vivre avec ce personnage qui l' « habite » et qui est souvent hostile. Il m'a dit lui-même : « Je n'ai pas la sensation de vivre, j'ai l'impression d'être discontinu, je ne sais même pas si j'existe. » Et je le crois. C'est pour cela qu'il est malade et qu'aucun médicament ne l'aide ; la chimiothérapie est un désastre, les internements l'affolent et ne lui sont d'aucun secours. Je suis contre cette médecine, parce que je pense que cela ne fait que l'affaiblir.

R. — *Vous n'avez pas consulté un prêtre ?*

T. — Non, je pense qu'il faudrait l'exorciser. Mon fils n'est absolument pas croyant et, lorsque je lui demande de prier, ou que je lui lis la Bible, il se met à hurler. Cela lui est aussi désagréable que si je le brûlais.

R. — *Oui, comme toutes les personnes possédées.*

T. — Ah bon ?...

R. — *Lorsque vous avez vu cet homme devant la petite porte dont vous m'avez parlé, étiez-vous réellement réveillée ?*

T. — Oui. A ce propos, hier soir, par exemple, lorsque mon pare-brise s'est fendillé, j'ai été étonnée, parce que ma perception visuelle ne me semblait pas ordinaire. Je voyais de l'intérieur, alors qu'il n'y avait aucune visibilité.

R. — *Mais, objectivement, la glace s'était-elle réellement craquelée ?*

T. — Oui, on peut d'ailleurs encore la voir, elle est fendillée en mille morceaux et parfaitement opaque. Souvent, lorsque cela arrive, les automobilistes cassent un petit rond pour y voir ; je n'ai pas eu besoin de le faire. Il m'est arrivé un autre phénomène très étonnant. Une de mes amies en a été témoin. Nous étions toutes deux dans ma voiture un soir, cela fait environ un mois, tous les rayons lumineux émanant de l'éclairage des voitures qui arrivaient de face, ou doublaient, convergeaient complètement sur ma voiture ; c'était aveuglant, éblouissant. Je conduisais à 20 km/h au milieu de rails lumineux. Cela démontait toutes les lois de l'optique, puisque ces rayons étaient comme attirés par ma voiture, et s'arrêtaient à peu près 20 cm du capot, comme si j'avais été un aimant qui les attirait. Depuis, cela ne s'est plus jamais reproduit. J'ai demandé des explications à des scientifiques, à des physiciens, personne n'a su me dire ce qui s'était passé. Ils se sont même un peu moqués de moi. Pourtant la personne témoin, qui est extrêmement matérialiste, peut confirmer l'authenticité de ce phénomène.

R. — *En somme, lorsque cela arrive, les « choses » sont réelles, et vous vous trouvez dans un état qui ne semble pas naturel ?*

T. — Oui, et je ne compte plus les ampoules électriques qui

257

éclatent, en faisant du bruit lorsque j'appuie sur les interrupteurs... je suis énervée.

R. — *Entendez-vous des coups frappés ?*

T. — Oui, quelquefois, mais je n'y prête pas attention ; ce n'est rien, par rapport au reste. »

Je me dédoublai afin d'observer la production du phénomène perturbateur, et me suis rendu compte qu'il provenait d'une intelligence malfaisante du monde des désincarnés, et je dois avouer qu'il m'a fallu beaucoup de patience et de prudence pour en venir à bout.

Il m'est le plus souvent nécessaire de me dédoubler afin de dégager la personne victime d'une agression de cette sorte. Il se déroule alors un véritable combat entre l'intelligence maléfique et mon état de dédoublement. Je dois minutieusement préparer ce genre d'action pour ne pas risquer ma vie. En ce qui concerne ce cas qui vient d'être cité, j'ai attendu qu'il y ait incorporation de l'intelligence maléfique dans le corps physique de ce garçon, afin de la surprendre ; c'est là qu'intervint la lutte entre cette intelligence et moi-même. Ce combat prit la forme de chocs : les deux doubles se heurtèrent, comme deux ballons de caoutchouc, jusqu'à ce que l'un d'eux « éclate ». Je décris ce processus par des images, car l'on ne peut l'exprimer de façon compréhensible par des concepts. Bien entendu, je bats en retraite lorsque je me trouve en présence d'une intelligence particulièrement dangereuse, et que je ne peux pas la « prendre » par surprise, ou lorsque l'intelligence ennemie en appelle d'autres à la rescousse. Il me faut alors attendre le moment propice pour agir.

Certains exorcistes sont morts de n'avoir pas su abandonner à temps...

Il m'a fallu six mois pour parvenir à mettre hors d'état de nuire cette créature démoniaque. Il ne restait plus qu'à attendre que l'effet secondaire, c'est-à-dire l'auto-envoûtement dû au souvenir de cette affaire, soit neutralisé dans la mémoire des « victimes » (ce qui entre alors dans le domaine de la psychologie.)

« Cher Monsieur Réant,

Je fais appel à vous car je suis désespérée, entièrement démoralisée par les ennuis qui ne cessent d'affluer vers moi. Il y a six ans, il m'est arrivé des choses inexplicables. Un soir, j'avais placé sur une tablette, une robe de ma petite fille ; je ne possédais que celle-là. Le lendemain matin, dès mon réveil, j'en trouve plusieurs autres, placées au-dessus et en dessous. J'avais pris cela comme une plaisanterie, tout en me disant : « Cela n'est pas normal. » Durant la journée, et dans la nuit, pendant cinq ou six minutes (les périodes n'étaient pas constantes), j'entendais des bruits étranges dans le grenier, semblables à des battements d'ailes. Des portes se fermaient toutes seules. Mon mari et moi-même avions des nuits d'angoisse, peuplées de cauchemars. A cette époque, j'avais connu des problèmes avec ma mère qui était mal en point, et que j'ai perdue. Une amie, qui lit beaucoup de livres traitant du surnaturel, à qui j'avais dit : « C'est bizarre, chaque fois que je me couche, j'ai mal à la tête, etc. Alors que je suis bien toute la journée. » M'a répondu : « N'as-tu pas regardé tes oreillers ? ». J'ai donc ouvert mes oreillers et, à ma grande surprise, j'y ai trouvé dix belles croix, constituées de plumes torsadées avec des fils ressemblants à de l'argent, très brillant. Chacune d'elles mesurait environ dix centimètres dans la partie la plus large. Les lames transversales étaient toutes cassées, d'un côté seulement. Ces croix étaient piquées sur un velours noir. J'ai également découvert un petit cercle d'environ dix centimètres de diamètre, semblable à une couronne mortuaire, vraiment bien travaillée, constituée par six petites croix très bien faites, reliées entre elles. En ouvrant l'oreiller de mon mari, la découverte fut identique. Mon étonnement fut grand, tant cela me paraissait extraordinaire. J'avais essayé, dans mon jardin, de les brûler avec du mazout, ainsi que les oreillers, suivant les conseils de mon amie, mais cela

259

n'a jamais voulu brûler. La destruction s'est faite avec le temps, la pluie, la neige, etc.

A la suite de cela, je suis allée consulter un prêtre. Durant les six années qui suivirent, j'ai bien eu quelques ennuis, normalement, comme tout le monde. Alors je ne m'étais plus inquiétée de cela.

A nouveau, les mêmes phénomènes s'étant reproduits, je suis très impressionnée, catastrophée. Mon mari est sur le point de vendre son affaire, le travail ne va plus... Tout va très mal. Ma sœur m'a dit : « Mais enfin, pourquoi ne vas-tu pas voir M. Réant ; peut-être arriverait-il à faire quelque chose ? » Alors je me suis décidée de faire appel à vous, car tout cela n'est pas normal, j'en suis terrorisée. »

Effectivement, il est curieux de constater que, assez fréquemment, dans les cas de « sortilèges », on trouve dans les oreillers ou dans les édredons constitués de plumes, des croix, des couronnes ou des sphères constituées par de petites croix de plumes minutieusement ajustées. J'étudie actuellement ce mystérieux phénomène.

Afin d'aider cette personne, je me suis dédoublé pour étudier l'origine du maléfice. Je n'ai rien constaté par cette méthode, et j'ai utilisé la prière. Tout semble être rentré dans l'ordre.

TOUT A COMMENCÉ PARCE QUE J'AI LU UN PETIT LIVRET, « COMMENT DEVENIR MÉDIUM »

« Cher Monsieur,

Je ne sais pas très bien où demander conseil ; il s'agit de manifestations très ennuyeuses qui me réveillent les nuits. Cela a commencé le jour où j'ai lu un petit livret : *Comment devenir médium.* Lorsque je m'endors, cela arrive souvent à ce moment : des mots prononcés, incompréhensibles, brefs, une ou deux présences, des bruits divers, très souvent à côté de moi (à droite ou à gauche) parfois comme si c'était en moi, c'est même certain. Ce bruit soudain, très variable de forme ou d'espèce, me réveille en sursaut, comme si je me sentais agressée par quelqu'un, et je situe nettement une présence et le lieu exact. Après avoir lu ce livret, cela a duré quelques jours, des voix basses, une feuille traînée par terre, des bruits moqueurs ou pour effrayer puis, chaque soir, je faisais des signes de croix. Je priais pour éloigner ces pollutions, et cela cessait. Lorsque j'ai repris le livre pour le relire, cela a recommencé. J'ai fait la même chose que la première fois et c'est parti. Mais depuis quelque temps, je m'en débarrasse difficilement et, de plus, ces pollutions me paraissent plus graves. Celles de cette nuit m'incitent à vous décrire ces ennuis. Ils font des cris d'animaux pour m'effrayer, sifflements de serpents, des Grr... J'entends des voix qui se moquent de moi ; parfois, comme cette nuit, elles semblent essayer de pénétrer en moi, et y parviennent le plus souvent. Il y avait souffle et aspiration. Parfois à distance, d'autres fois très proche, à quelques centimètres au-dessus de la tête. A chaque fois je suis très fatiguée, comme si on avait pompé ma substance cérébrale. Cette nuit elles m'ont réveillée trois fois ; j'ai eu très mal et n'ai plus redormi. Depuis je suis anormalement fatiguée et ces manifestations sont de plus en plus fréquentes. »

Ces phénomènes peuvent être provoqués lorsque le sujet, étudie la médiumnité dans le domaine du spiritisme. Il semblerait, en effet, que bien souvent, les débutants attirent vers eux des « esprits tapageurs » ; si l'aspirant à la médiumnité spirite prend peur, il perd de l'énergie au profit des « esprits » qui l'utilisent à leur gré, amplifiant proportionnellement les phénomènes perturbateurs ce qui, si le sujet n'y prend pas garde, peut le conduire directement en psychiatrie, à moins qu'il ne se fasse aider par un spécialiste. Il ne faut pas jouer avec le feu, si l'on ne se sent pas assez fort pour le maîtriser.

Maîtriser, c'est dominer, et pour dominer il faut, premièrement savoir vaincre la peur, et deuxièmement avoir une bonne connaissance du problème. Cela pourrait faire l'objet de tout un livre.

XXXVIII

LA CHAISE FANTÔME

Après la mort de son père, Monsieur F., et sa mère qui vit sous le même toit, devinrent l'épicentre de phénomènes « paranormaux » assez curieux. Ils leur fut pratiquement impossible d'allumer, plus de quelques minutes, une ampoule électrique sans qu'elle ne grille et se recouvre en partie d'une coloration jaune soufre. Tous les appareillages électriques se détraquaient.

Bien que soigneusement pliées et rangées dans une armoire fermée à clef, les lingeries de teinte blanche se maculaient de taches jaune-vert pâle, sans raison valable. Les taches ne devenaient visibles qu'après avoir déplié les linges. La maman de Monsieur F. lava les linges en question, et les mit dans une cantine fermée par un cadenas. Le même phénomène se reproduisit. Elle recommença le même processus avec du linge neuf qu'elle venait d'acheter, et qu'elle n'avait pas porté. Le résultat fut identique.

Après avoir étudié ces phénomènes, je m'aperçus, qu'au moment où apparaissait cette coloration, un rayon particulier prenait naissance à partir d'une ombre bioplasmique difficilement percevable, qui se déplaçait dans la pièce dans laquelle se trouvait les linges. Ce n'est pas tout ; cette ombre bioplasmique s'asseyait de temps à autre sur la chaise que le père défunt avait coutume d'utiliser de son vivant.

Lorsque je mis fin aux phénomènes paranormaux de colorations et de perturbations du système électrique, ce fut la chaise en question qui devint démente. Chaque fois que Monsieur F. ou sa maman s'asseyaient sur cette chaise, non seulement ils se sentaient piqués et griffés sur plusieurs parties de leur corps, mais de plus, ces griffes et piqûres apparaissaient sur leur peau, colorée d'une teinte rouge-rosée.

Monsieur F. transporta cette chaise à mon domicile, afin que je l'étudie, avant de la détruire par le feu, comme il me l'avait demandé.

Evidemment, je me suis assis sur cette chaise et, au bout d'une minute environ, une multitude de piqûres, marquées par des points rouges, apparurent, principalement sur mes mains et mon visage, et disparurent quelques heures après. Satisfait je plaçai la chaise derrière un tableau noir, que j'utilisais pour des démonstrations cinématographiques. Ma petite-fille Aurore, attirée par cette chaise d'un très joli style, fut tentée d'y toucher. Les mêmes observations furent faites. L'effet, toujours possible dans ce cas, de la suggestion, est tout à fait exclu.

Pour terminer, un journaliste, accompagné d'un photographe venu me rendre visite dans l'intention d'écrire un article sur mes activités, m'a donné l'occasion de faire une dernière vérification, sur cette chaise aux effets troublants.

« J'ai une chaise fantôme à vous proposer », leur dis-je. Le photographe eut un petit sourire, et me répondit gentiment : « Je ne crois pas en ces choses-là...

— Dans ce cas, rien ne s'oppose à ce que vous vous asseyiez dessus », lui dis-je en la lui présentant. Il s'assit bien volontiers sur la chaise, sans la moindre idée sur ce qui allait se produire. Nous entamions la conversation sur un sujet parapsychologique. J'observais discrètement le photographe incrédule. Cinq minutes s'étaient passées sans que rien ne se produise. Allais-je être déçu ? Certes pas. Tandis que je discutais avec le journaliste, celui-ci immobilisa son regard dans la direction du photographe, et dit d'un air stupéfait ; « Oh !... ça alors. » A mon tour, je regardai le photographe : un M majuscule en caractère d'imprimerie tracé en rouge, sur lequel perlaient quelques petites gouttes de sang, était dessiné sur son front. Le journaliste lui dit : « Ne sens-tu rien sur ton front ? » Réponse : « Si, ça me démange un peu. Et il passa sa main droite sur son front. La petite trace rosée qui macula sa main l'incita à se regarder dans le miroir mural qui ornait une partie du mur dans la salle où nous nous trouvions. C'est alors qu'il s'exclama ; « Mais... il y a un M inscrit sur mon front !... Qu'est-ce que cela veut dire ?... » Le journaliste, d'un air satisfait, pour plaisanter lui dit : « M... cela veut peut-être signifier Mort ?... » Le photographe, visiblement surpris se tourna vers moi, et me demanda avec étonnement : « Qu'est-ce que cela signifie ?... »

Afin de le rassurer, j'ai appelé au téléphone Monsieur F., pour lui demander quelques informations objectives au sujet du nouveau type de phénomène qui venait de se produire. Monsieur F. était absent, c'est sa maman qui répondit :

« M ?... mais c'est Maurice, mon mari qui s'était promis de se venger, injustement d'ailleurs, d'un différend entre nous, bien avant sa mort... etc. »

J'ai donc brûlé la chaise, et depuis, je n'ai plus de nouvelles de cette affaire.

Un cas de hantise

« Monsieur,

J'habite une maison dans un petit village de Normandie et, depuis deux ans j'ai les pires ennuis.

Dès les premiers jours, une musique mystérieuse est émise dans toute la maison.

Je suis réveillée brutalement dans la nuit par des coups de poings que je reçois en pleine poitrine. J'entends, en plus de la musique, des coups frappés contre les murs, très souvent en nombres impairs ; j'ai des témoins, et cela, jours et nuits.

Impression de chute de pierre dans le couloir, et bruits d'objets cassés contre les murs.

J'ai vu, dans la journée, le bas d'une robe.

J'ai eu plusieurs fois l'impression qu'on essayait de m'arracher les yeux ; c'est très douloureux, cela se passe la nuit.

J'ai été, devant témoins, poussée contre les murs ou les portes ; le jour, une porte s'est ouverte et refermée toute seule.

Odeur particulièrement désagréable dans ma chambre le soir.

Les nuits où je suis « dérangée » sont suivies d'une fatigue insurmontable dans la journée.

Un médium a désigné formellement un voisin, un prêtre exorciste et voyant me l'a aussi dépeint. En effet, j'avais remarqué que chaque fois qu'il s'absentait j'étais parfaitement tranquille. Deux personnes qui avaient acheté avant moi sont parties presque aussitôt. On s'est toujours mal expliqué leur départ. Par la suite, j'ai appris que ce voisin en question a toujours eu la réputation de faire de la magie noire. Je pense qu'il veut me faire partir et arriver à avoir la maison pour rien. Je vous signale également qu'un incendie s'est déclaré dans la maison ; la nuit qui précédait, j'avais été torturée et ne me sentais plus moi-même.

C'est sur les conseils du docteur L... que je m'adresse à vous... Cher monsieur, aidez-moi ! »

XXXIX

AI-JE « DÉSENVOÛTÉ », DÉSINTOXIQUÉ, AIDÉ, GUÉRI?
DIEU SEUL LE SAIT

Voici l'enregistrement de communications téléphoniques — je n'ai pas changé un mot aux dialogues.

Premier entretien

Le 19 janvier 1978, je reçois une communication téléphonique, de la maman de Denise, désespérée par l'état de déséquilibre dans lequel se trouve sa fille d'une vingtaine d'années. Depuis une douzaine d'années, malgré tous les efforts des médecins, aucune amélioration n'a pu être observée. En désespoir de cause, cette brave maman envoya sa fille consulter un exorciste. Voici la conversation entre la maman de Denise et moi-même :

Mme T. — Ma fille a subi une séance d'exorcisme qui a été un échec complet, et qui lui a fait une impression atroce, il y a de cela quatre ou cinq ans ; elle en conserve un souvenir absolument abominable.

R. R. — *De quelle façon a été exécuté cet exorcisme ?*

Mme T. — Je ne sais pas.

R. R. — *Etait-elle présente ?*

T. — Elle était présente, cela a été une séance absolument délirante, très très bouleversante.

R. R. — *Y avait-il des témoins ?*

T. — Non.

R. R. — Y est-elle allée seule ?

T. — Oui, elle avait rendez-vous avec lui, et y est allée seule. Les récits qu'elle en fait sont restés très stables, cela était complètement farfelu.

Denise a de nombreuses fois téléphoné à un radiesthésiste très connu, Monsieur D..., en lui disant des choses complètement loufoques ; elle voulait entièrement réformer le monde. Elle a récemment téléphoné à ce monsieur, qui m'a demandé de le rappeler, et c'est à ce moment-là qu'il m'a parlé de vous ; j'ai parlé à mon médecin de l'aide éventuelle que vous pourriez apporter à ma fille ; il m'a répondu qu'il aimerait, avant qu'il y ait quelque tentative en ce sens-là, que ma fille Denise se prenne en charge. Je me suis trouvée assez désappointée, car là est justement le problème insoluble. Evidemment ce raisonnement se défendait, mais j'ai envoyé une photographie de ma fille à Monsieur D... qui me l'avait demandée. Voici la réponse que je reçois :

« Chère Madame »,

« Après examen de la photographie de votre fille Denise, ma conclusion est la suivante : je pense, qu'avant tout traitement en vue d'obtenir une amélioration, ou guérison, il serait nécessaire que Denise subisse ce que l'on a coutume d'appeler un « désenvoûtement », opéré par Réant, hors de la présence de la « malade ». Je peux me tromper, mais tel est mon avis, etc. »

Je suis allée à deux reprises rendre visite à Monsieur D.... J'ai trouvé cet homme extrêmement bon, et l'apprécie fortement... Il m'a longuement parlé de vous et de votre honnêteté. En effet, dans ce genre de chose, il y a des gens, et généralement les moins doués, qui abusent de la situation désespérée des autres, en leur soutirant des sommes d'argent, souvent très importantes, et en tournant les possibilités qu'offrent certaines formes de la parapsychologie en dérision.

A la suite de cette lettre, est-ce que je puis me permettre de vous envoyer la photographie de ma fille ?

R. R. — Oui.

Mme T. — Bien, je vous en remercie... Comment cela se passe-t-il ? Est-ce que vous travaillez sur la photographie, ou dois-je vous fournir des données supplémentaires ?

R. R. — J'ai effectué des « désenvoûtements » avec des docteurs en médecine, qui se sont penchés sur ce brûlant sujet, et qui ont contrôlé les résultats. Alors, il s'est avéré, que l'action pouvait être produite de près ou à distance, avec les mêmes résultats. Les résultats sont généralement bien plus spectaculaires en agissant à distance, car de près, bien souvent les sujets traités se sentaient très choqués, étant généralement fortement sensibilisés par les effets psychiques qui les assaillaient. Ils devenaient, dans de nombreux cas, particulièrement émotifs.

En fait, nous nous sommes aperçus qu'en agissant à distance, j'obtenais des résultats bien plus souples, et d'autant plus, que les personnes que je « désenvoûtais », avaient l'impression de se libérer d'elles-mêmes, ne percevant pas mon propre « travail ». Cela est très important, car les personnes sur lesquelles j'agissais n'avaient pas la sensation d'être « manipulées » ; elles reprenaient confiance en elles, ce qui est primordial au point de vue psychologique.

J'avais expérimenté sur photographie, et aussi par l'intermédiaire de vêtements portés par les personnes. J'avais remarqué que les objets, étaient plus « conducteurs » que les photographies. Lorsqu'une personne vient d'être « désenvoûtée », son subconscient reste habitué à un certain désordre, et l'entretient. le « désenvoûté » se comporte comme un soldat qui, à la suite d'un profond traumatisme psychique engendré par de sanglants combats, de retour à la vie tranquille, se réveille en sursaut durant la nuit, avec l'impression d'être au milieu d'un combat.

Donc, le subconscient de la personne « désenvoûtée », doit être rééquilibré, et je pratique à cet effet la télépathie ; il s'agit alors de suggestion à distance.

Deuxième entretien téléphonique

Le même jour, le 19 janvier 1978.

Mme T. — Après vous avoir téléphoné, j'étais près de ma fille... tout à coup, j'ai eu le sentiment que vous étiez là.

R. R. — J'ai commencé mon action aussitôt après que vous m'avez apporté les éléments nécessaires ; le maximum d'intensité de l'émission psychique a été produit environ trois heures après.

Mme T. — Oui, c'est ça, cela correspond... Ma fille est dans une clinique, dans de remarquables conditions, avec un jeune médecin qui s'occupe d'elle et s'intéresse à votre action à l'égard de ma fille. J'ai demandé à ce médecin de vous appeler, si quelque chose de significatif se passait. Il s'agit du docteur X... qui, d'ailleurs, vous appellera pour prendre contact avec vous. Je suis très reconnaissante. Au revoir, monsieur.

Troisième entretien téléphonique

Le 25 janvier 1978, appel du docteur X...

Dr X. — Monsieur, bonjour.

Je suis le docteur X... dont vous a parlé Madame T... comme vous le savez, la fille de cette dame est actuellement en clinique. Je crois qu'il vaut mieux qu'elle ne soit pas dans son milieu familial et, de plus, cela est nécessaire pour ses parents, qui sont actuellement à bout. Elle a la hantise d'être dans une clinique psychiatrique ; elle a du mal à se convaincre que ce n'est pas le cas, dans celle où elle se trouve. Je n'ai d'ailleurs aucune qualification dans le domaine de la psychiatrie ; je me borne à une étude fondée sur le bon sens. Actuellement, cette jeune fille est très angoissée, n'a aucune envie de parler, évidemment ; mais l'ennui, c'est qu'elle ne sait pas très bien où elle est, et je pense qu'elle a encore... enfin, elle ne l'a pas dit clairement, et je n'ose pas lui demander, de peur de lui susciter l'idée, mais je pense qu'elle songe de nouveau à se suicider.

R. R. — *Sur le plan médical, que constatez-vous ?*

Dr X. — Au point de vue strictement médical, les médicaments sont pratiquement inefficaces ; elle a cependant des doses assez considérables de sédatifs, de tranquillisants, mais personnellement, j'ai vraiment l'intuition qu'il y a quelque chose qui ne dépend pas d'elle, même pas de son système nerveux, qui dépasse complètement nos connaissances médicales. Alors ? ... Est-ce que ses réactions sont normales actuellement, à votre avis ?

R. R. — *Non, effectivement, mais je pense que d'ici une quinzaine de jours, vous pourrez observer un petit changement.*

Dr X. — Une quinzaine de jours ?

R. R. — *Oui.*

Dr X. — Bien, en tout cas vous pensez qu'il est favorable qu'elle soit hospitalisée dans mon service ?

R. R. — *Oui, car je crois qu'elle risquera moins de faire des bêtises ; également pour ses parents, qui doivent faire des efforts constants pour lui être agréable.*

Dr X. — Est-ce que vous pensez qu'actuellement elle peut encore faire une tentative de suicide ?

R. R. — *Je le pense... Dans une quinzaine de jours, elle sera plus détendue.*

Dr X. — Personnellement, je m'intéresse un peu à tout ce qui est en dehors de la médecine officielle, et je serais très intéressé de connaître, un peu plus en détail, vos activités et éventuellement discuter avec vous. Est-il possible de vous rencontrer ?

R.R. — *Volontiers.*

Dr X. — Je vous remercie, et vous préviendrai de ma visite. Probablement dans une quinzaine de jours, car je suis actuellement très pris. Quel domaine vous intéresse plus spécialement ?

R. R. — *Celui de la télépsychie, et en particulier des empoisonnements psychiques (envoûtements), et des « retours » à des raisonnements logiques, par voie télépsychique, dans certains cas psychologiques désespérés, tels que « retours d'affection », revenir sur une décision, lorsque celle-ci est mauvaise, etc.*

Dr X. — Bien, dès que je constaterai une modification je vous téléphonerai. J'espère que nous aurons l'occasion de discuter plus longuement, assez prochainement.

Le 25 janvier 1978, communication téléphonique, avec le père de Mlle Denise.

M. T. — Bonjour monsieur, excusez-moi de vous déranger, je crois que vous avez eu le docteur X... au téléphone tout à l'heure ?

R. R. — Oui, il vient de me téléphoner.

M. T. — J'ai eu moi-même ma fille au téléphone, qui m'a parue très angoissée, elle pouvait à peine parler.

R. R. — Elle était détendue pendant un moment pourtant ?

M. T. — Peut-être, oui mais...

R. R. — Que dit le médecin ?

M. T. — Il pense que cela va s'arranger.

R. R. — Moi aussi, je le crois ; le médecin m'a dit qu'elle ne se sentait pas à l'aise à la clinique.

M. T. — Moi elle ne m'a rien dit du tout, je n'ai rien pu tirer d'elle, elle était si angoissée qu'elle n'arrivait pas à parler. Est-ce que ma femme vous a téléphoné hier après-midi ?

R. R. — Oui.

M. T. — Elle a eu l'impression extraordinaire que vous étiez pendant deux heures dans la pièce.

R. R. — Oui, c'est ce qu'elle m'a dit. Je pense que cela s'arrange pour votre fille et que, dans quinze jours, une constatation médicale pourra être faite, dans le sens d'une amélioration. Les désordres psychiques que présente votre fille sont très anciens ?

M. T. — Oui, très anciens.

R. R. — Le médecin dit qu'il ne trouve aucun trouble organique chez votre fille, qu'il s'agit d'une maladie qui vient

271

du dehors d'elle ; cela correspond à ce que pense Monsieur D...
et moi-même.

M. T. — Oui, c'est cela... Bien, tout repose sur vous ; donc, c'est très gentil de votre part de bien vouloir vous en occuper, merci beaucoup, monsieur, bonsoir.

Le 13 février 1978, coup de téléphone du docteur X...

Dr X. — Bonjour, cher M. Réant, je vous téléphone pour vous donner quelques nouvelles. Il y a des modifications assez positives, à savoir, une diminution très nette de son angoisse, de ses manifestations extérieures en tout cas. Elle se plaint toujours d'être angoissée, mais l'intensité a nettement diminué ; notamment, il est maintenant possible d'avoir un contact très facile avec elle, alors qu'avant, on sentait qu'il y avait un conflit intérieur très net, très important, qui prenait toute son attention ; maintenant, il est facile de discuter de choses très variées, et elle est beaucoup plus ouverte au monde extérieur ; cela est très positif.

R. R. — *En conclusion, que pensez-vous de cette première phase docteur ?*

Dr X. — Eh bien, écoutez, si l'évolution se fait dans le même sens que ces derniers jours, on peut avoir beaucoup d'espoir ; je crois qu'il faudra à ce moment-là, c'est-à-dire d'ici une semaine ou deux, avoir une action au niveau de la vie, prévoir qu'elle puisse apprendre un métier, avoir un rôle utile dans la société.

R. R. — *Votre idée serait de lui suggérer qu'elle prenne une part active dans la société ; que proposez-vous ?*

Dr X. — Qu'elle apprenne quelque chose, parce qu'actuellement elle n'a pas de formation professionnelle. Je pense que le choix devrait être dirigé vers une activité pratique, manuelle. Nous en avons déjà parlé. Une activité intellectuelle est à déconseiller. Elle comprend à présent qu'il est nécessaire qu'elle se débrouille toute seule.

R. R. — *Elle a donc une prise de conscience ?*

Dr X. — Oui, très nette... Pensez-vous que l'efficacité de votre intervention peut être envisagée à long terme ? Qu'il n'y a pas de risque de récidive ?

R. R. — *Voilà, en général, comment les choses se passent : il ne s'agit pas réellement de risque de récidive, mais d'une accoutumance car, dans la plupart des cas de ce genre, les sujets ne veulent plus travailler. J'ai pu l'observer plusieurs fois. Lorsque les personnes « envoûtées » sont libérées de leur « empoisonnement psychique », elles reprennent part à la vie active, mais ne veulent faire que des choses qui leur plaisent, elles sont habituées à ce que l'on s'occupe d'elles, alors, elles comptent sur les parents, veulent sortir, se distraire et, si elles ont une activité professionnelle, elles entendent l'exercer comme un agrément ; elles ont beaucoup de difficultés à obtenir un « rendement ». Elles finissent généralement par s'adapter normalement à la vie active, lorsqu'elles envisagent le mariage, dans le cas d'une personne seule, comme cela est le cas pour Denise. Elles prennent conscience que la vie n'est pas un rêve, et qu'il faut faire quelques efforts, afin de ne pas paraître différente des autres. A partir de ce moment-là, elles sont sauvées définitivement.*

Dr X. — Certainement, il s'agit là d'un élément équilibrant. Vous pensez alors, qu'à ce moment-là, ces personnes sont assez fortes pour éventuellement repousser toutes nouvelles influences négatives ?

R. R. — *En principe, oui, mais cela n'exclut pas qu'il puisse y avoir une rechute. En général il ne faut pas trop les contrarier dans les débuts, il y a tout de même une petite réadaptation à faire dans la vie courante mais, en principe elles s'en sortent fort bien.*

Dr X. — Maintenant, de votre côté, comment prévoyez-vous l'évolution rééquilibrante de Mlle Denise ?

R. R. — *Je pense que cela va continuer dans le sens que vous avez observé, c'est-à-dire, que de plus en plus progressivement, vous constaterez que ce rééquilibre se confirme ; c'est alors, à mon avis, qu'il faudra lui suggérer d'apprendre un métier, qu'elle fixe ses idées sur une activité telle que vous en avez émis l'idée précédemment, de manière à ce qu'elle meuble son esprit dans une construction d'avenir.*

Dr. X. — Oui, ce serait l'occasion de favoriser son attention, sur tout à fait autre chose que l'esprit, à ces deux niveaux qui seraient : le premier, celui de la rééducation, et le deuxième, de l'apprentissage. De toute façon, je vous tiendrai au courant. En tout cas, en conclusion, les résultats actuels sont vraiment positifs.

Mardi 16 février 1978.

Communication téléphonique de la maman de Denise :

Mme T. — Ma fille va beaucoup mieux, je pense que le médecin qui s'occupe d'elle vous a téléphoné ?... je tiens à vous remercier. Il y a une résurrection qui est en train de s'accomplir.

R. R. — Cela fait combien de temps que votre fille était en traitement pour ce cas particulier ?

Mme T. — Il y a de cela une douzaine d'années, elle disait toujours : « Je fais les choses malgré moi », elle évoquait sans cesse des mots tels que possession, domination, etc.

R. R. — Maintenant elle se sent libérée.

Mme T. — Je vous suis très reconnaissante.

Vendredi 27 février 1978 à 19 heures

Communication téléphonique du docteur X.

Dr X. — Bonsoir monsieur, je vous téléphone pour vous donner quelques nouvelles de Denise, qui présente une amélioration constante de son état ; cela va de mieux en mieux, avec un désir de retourner dans la vie active et d'apprendre un métier. Evidemment, elle a repris d'elle-même une activité spirituelle qu'elle avait avant ses ennuis. Elle est à présent très calme. Je crois maintenant qu'elle a enclenché un processus, et qu'elle va pouvoir passer une quinzaine de jours à la campagne ; je voudrais savoir si votre intervention peut se prolonger encore ?

R. R. — Selon votre avis, pensez-vous qu'elle a encore besoin de mon aide, ou préférez-vous que je la laisse sur son élan ?

Dr X. — Eh bien... actuellement elle a encore des médicaments...

R. R. — Je propose de continuer jusqu'à ce qu'elle ne prenne plus de médicaments.

Dr X. — Oui, je crois, et peut-être même un certain temps après, disons une quinzaine de jours après l'arrêt de ses médicaments.

R. R. — D'accord.

Dr X. — Puis-je vous demander en quoi consiste votre action ?

R. R. — Il s'agit d'une action psychique. Je prends une part de sa personnalité en pratiquant une suggestion à distance par télépathie.

Dr X. — Est-ce que cela vous prend de l'énergie ?

R. R. — Oui, mais comme j'ai l'habitude de cette pratique, je me régénère assez vite.

Dr X. — Vous vous régénérez spontanément, sans technique particulière ?

R. R. — C'est cela.

Dr X. — Je pense qu'il serait bien que vous l'aidiez jusqu'au sevrage complet, et que ce séjour à la campagne vous permettra d'accélérer ce sevrage. Je vous remercie de votre intervention, et aussi de votre efficacité. Enfin, personnellement, je suis très content des résultats obtenus.

R. R. — Ces actions en général réussissent très bien, et ne provoquent aucun danger, c'est pour cela qu'il est intéressant de les utiliser. Cela pourrait certainement être dangereux, si les personnes traitées de cette façon n'étaient pas surveillées par un médecin, car il est tout de même prudent de constater objectivement comment les choses évoluent.

Dr X. — Bien sûr.

R. R. — Tandis que si j'agis sur une personne à distance, et que cela ne se passait pas comme prévu, si la voyance s'avérait fausse, pour une raison inconnue, et qu'il n'y ait personne de qualifié pour observer et pour aider, cela serait assez fâcheux ;

de plus, il ne faut pas non plus oublier que le traitement médical fait aussi son œuvre.

Dr X. — Certainement ; aussi, je crois que dans les temps à venir, une collaboration entre ces deux genres de traitements sera envisagée. Y a-t-il un rapport avec la prière ?

R. R. — Oui, il y a un acte de foi spirituel avec « projection psychique. »

Dr X. — Personnellement, je suis convaincu que cet acte-là est nécessaire.

*
* *

En conclusion, ce type d'expérience fait ressortir l'aspect général de l'action télépsychique, sur une individualité humaine « bloquée » psychiquement par une action venant de l'extérieur d'elle-même, en l'occurrence, un « chevauchement ». Il est remarquable de constater dans ce cas précis, que le traitement médical était directement tributaire d'une opération télépsychique aidée de la prière, malgré les efforts durant douze années, de la médecine officielle. Les moyens scientifiques actuels faisant abstraction des possibilités psycho-spirituelles demeurent, en certains cas en déséquilibre avec la nature.

En ce qui me concerne, lorsque j'expérimentais ces possibilités, je n'utilisais que la prière. Ce n'était donc pas moi qui aidais, mais le Père créateur.

LA FOI EST LA BASE DE TOUT PROGRÈS HUMAIN

Dans la voie du progrès spirituel, Jésus, dans une extrême simplicité, est venu pour montrer aux hommes leurs possibilités de progression.

Vous devez avoir conscience que votre être véritable est tout à fait indépendant de votre corps physique, ce dernier n'étant qu'un vêtement provisoire, dont les particules sont communes à toutes choses.

276

Ce corps « emprisonne », pour un temps déterminé à l'avance, votre esprit afin que celui-ci « s'isole » en partie pour subir certaines épreuves, maîtriser ses instincts, ou accomplir une mission bien définie, pour aider ceux qui cherchent le chemin de la lumière éternelle. Votre corps physique est, en partie, indispensable à vos manifestations dans la matière. Il est votre véritable demeure temporelle. Cette demeure est constituée d'un nombre ineffable d'intelligences qui doivent rester sous la domination totale de votre propre personnalité, de votre esprit.

L'AVENIR DE LA PARAPSYCHOLOGIE

La parapsychologie a longtemps été attaquée, et en particulier par ceux qui ignorent le sens et la véritable valeur de cette science de l'esprit.

Rien ne peut résister aux flots de cet océan qui monte. Souvenez-vous des travaux de Louis Pasteur, tant critiqués... Rien ne peut arrêter l'évolution de la connaissance. La parapsychologie ouvre un nouvel horizon à l'humanité, elle inaugure le début d'une véritable révolution scientifique.

On peut à présent admettre qu'il est possible de prendre connaissance du passé, du présent, et, dans une certaine mesure, de l'avenir. Il est permis de croire que toutes les connaissances qui se perdent dans la nuit du lointain passé, nous soient révélées. Certaines de ces connaissances ont déjà motivées quelques chercheurs, à tenter de les mettre en application. Quelques-unes d'entre elles, lorsqu'elles seront réalisées, transformeront radicalement nos techniques et notre savoir actuel, même le comportement humain changera.

Imaginez ce qu'il se passera lorsque la parapsychologie sera enseignée dès l'école maternelle... Les gens mal intentionnés seront tributaires de la télépathie, et seront mis à « nu », ce qui rendra difficile aux personnes malveillantes, d'accomplir leurs desseins. Cela aura pour effet une modification de leur comportement.

Les crimes seront très limités, car l'agresseur portera son crime sur son « visage ». Il lui sera impossible de cacher son geste ou son intention, ni avant ni après son acte insensé, car cela sera perçu par tout le monde. De plus, connaissant ce qui se passe après la mort du corps physique, il songera à la honte qui s'emparerait de lui, lorsqu'il se désincarnera, se trouvant face à face, non seulement avec sa victime, mais aussi avec des personnes qu'il a connues, et qui se sont désincarnées avant lui.

Lorsque les portes de la mort s'ouvrent, l'individu se trouve face à face avec la vérité. Il prend conscience qu'il était, qu'il est, et qu'il sera.

Celui qui éveille toutes ses facultés PSI, n'a pas besoin d'attendre la mort du corps physique pour cela. Il sait qu'il peut tout connaître depuis la création du monde, car il a conscience qu'il était « né ».

C'est d'ailleurs ce que rapporte l'ancien testament :

JOB, chapitre 38, versets 16 à 21

« Tu le sais, car alors tu étais né. »

CONCLUSION

Me voici au terme de ce livre. J'ai essayé, tout en faisant une place trop large peut-être, à une petite partie de mes expériences personnelles, de réunir quelques méthodes longuement expérimentées, et de mettre un peu de lumière dans ce large domaine qu'est la parapsychologie, en essayant de faire sortir une part de vérité sur cette science longtemps contestée.

Le moment est venu de donner à la parapsychologie une place qui lui convient, en lui imposant la rigueur et la logique nécessaire à sa crédibilité.

Il n'existe pas, à vrai dire, de personnalité PSI. Le développement affectif d'un sujet doué n'est pas forcément à l'origine des perceptions extrasensorielles, comme le croient certains chercheurs. Pour tenter de le savoir, M. Alain Sotto, ayant une formation de philosophe, d'ethnologue, de sociologue, à la fois journaliste et écrivain, m'a fait subir deux tests psychologiques, le Rorsharch, et le T.A.T. Les résultats n'ont indiqué aucun dérèglement mental, ni délire, ni débilité, ni propension à l'hallucination ; donc, en ce qui me concerne, je ne suis pas un « anormal ». Cependant, cite Alain Sotto, (*Initiation à la parapsychologie,* Montréal 1981), une notion intéressante a été dégagée : celle de la participation affective liée à un certain degré d'angoisse. Le psychologue qui m'a fait passer les tests a déclaré au cours de son rapport : « Bien qu'il tente de se préserver de tout drame, Raymond Réant est très

279

certainement angoissé, se sent intimement concerné par le malheur des autres. »

C'est l'ère du Verseau, une mutation se fait. Les êtres humains, sans le savoir, ont tendance, dans leur évolution spirituelle, à chercher à en savoir davantage, et à utiliser des pouvoirs psychiques pour le bien de tous.

Lorsque l'on atteint un certain degré d'évolution spirituelle, on a toujours l'impression d'être un individu mais, en même temps, on est l'humanité elle-même. C'est-à-dire qu'une personne à côté de nous est comme un globule rouge de notre sang ; nous faisons partie du même corps. Alors, on ne peut plus faire le mal, puisqu'on ressent le mal des autres. Une plaie de l'humanité est appréhendée comme un ulcère que l'on aurait en soi.

Les scientifiques qui ont la sagesse de s'intéresser à la réalité des possibilités psychiques décrites dans ce livre, d'ailleurs encore incomplet, seront forcés de se rendre à l'évidence.

Ceux qui préfèrent tourner ces choses en ridicule, ne le font que pour eux ; s'ils se confinent dans la croyance de l'exclusivité de leur connaissance, ils devraient comprendre que la parapsychologie est une science de l'esprit et que l'esprit ne peut pas être enfermé dans une éprouvette pour être étudié.

Ce qui me console, c'est que, contrairement à ce que l'on pourrait croire, nombreux sont les scientifiques de toutes disciplines, qui s'efforcent de percer le « mystère » des perceptions extrasensorielles.

LEXIQUE PARAPSYCHOLOGIQUE

Agent : (Emetteur). Personne qui, volontairement ou involontairement (inconsciemment), transmet des informations par télépathie.

Amnésie : Perte de la mémoire.

Analgésie : Perte de sensibilité à la douleur.

Animisme : Doctrine. Ce qui, par opposition au spiritisme, attribue les phénomènes paranormaux, soit à des facultés naturelles mal définies dont l'homme hériterait à sa naissance, soit à des lois naturelles encore inconnues.

Aura : Emanation en générale invisible qui entoure le corps humain et celui d'autres êtres vivants.

Autoscopie : Faculté de voir ses propres organes et de les décrire.

Bilocation : Voir à dédoublement.

Bio-Feedback : Méthode permettant, à l'aide de certains appareils (Electrocardiographe), d'observer les fonctions physiologiques du système végétatif, et de les influencer au cours de certaines expériences.

Chevauchement : Le chevauchement est l'emprise, sur un être vivant, ou sur un objet, d'une force intelligente, qui prend en sa possession une partie de la personnalité, et de l'être vivant, ou de la nature d'un objet.

Clairvoyance : Processus de connaissance paranormale, permettant de connaître certains événements présents. (Pour le futur il est question de prophétie, de précognition ou de préconnaissance). La distance ne joue aucun rôle en matière de Clairvoyance.

Contrôle : Seconde personnalité qui apparaît chez certains médiums, lorsqu'ils sont plongés en transe. Les spirites sont d'avis que le contrôle n'est autre qu'un esprit de l'au-delà, s'exprimant par l'intermédiaire du médium.

Corps Astral : Corps éthéré, faisant partie, et flottant autour du corps humain et de tous les êtres vivants, qui n'est autre que le corps bioplasmique. La présence du corps astral explique le phénomène de dédoublement.

Cristallographie : Méthode consistant à se concentrer sur une boule de cristal, ou autres surfaces réfléchissantes, pour essayer d'obtenir des visions.

Dédoublement : Sortie du corps astral (bioplasmique) hors du corps physique.

Double : Apparition du double ; voir *corps astral* et *ubiquité.*

Ecriture automatique : Faculté d'écrire inconsciemment. A ce titre, l'écriture automatique est considérée comme un automatisme psychique. On peut également peindre automatiquement.

Ectoplasme : Formation paranormale, produite par un médium ; voir également *matérialisation.*

Emetteur : Voir Agent.

E.S.P. : Terme introduit par le chercheur américain J. P. Rhine. Abréviation de extra-sensory-perception (perception extra-sensorielle.) Méthode de connaissance qui ne fait pas appel aux cinq sens habituels. On range sous la catégorie E.S.P. la télépathie, la clairvoyance, la psychopathotactie, etc.

Hallucination : Perception de nature optique, acoustique, gustative, etc., d'une chose qui, en réalité, n'existe pas.

Hanté : En parapsychologie, se dit des lieux où se produisent des phénomènes paranormaux, engendrés par le psychisme humain, et parfois, par celui d'un animal.

Hétéroscopie : Faculté de voir au travers des corps opaques, par exemple les organes d'un individu, et de les décrire.

Hypnose : Etat de transe caractérisé par un haut niveau de suggestibilité ; sommeil artificiel et incomplet, provoqué par suggestion. L'état d'hypnose favorise certaines perceptions paranormales. Un sujet magnétisé est susceptible, dans certaines conditions, de tomber dans un état somnambulique lucide ; alors, il lit dans la pensée, voit, entend à travers l'espace ; il arrive qu'il indique le siège d'une maladie d'une personne présente, ou éloignée, et parfois, bien que n'ayant pas étudié la médecine, il indique les remèdes propres à guérir. Mesmer, médecin allemand, proclama, dit-on, le premier l'existence du magnétisme animal, bien qu'elle fût connue depuis la nuit des temps ; elle est encore de nos jours abondamment employée. Il est regrettable que certains charlatans en assombrissent sa juste valeur.

Matérialisation : Formation paranormale, produite par un médium. Les matérialisations ressemblent souvent à des parties du corps humain, ou au corps tout entier. Elles peuvent prendre d'autres formes visibles (voir *ectoplasme*).

Médium : Personne produisant des phénomènes paranormaux. On parle également de sensitifs. Les spirites pensent que les médiums sont les intermédiaires entre les êtres humains et les esprits de l'au-delà.

Métagnomie : Terme donné par Boirac ; *Méta* veut dire « au-delà », et *Gnoma,* signifie « connaissance », connaissance de chose que nous ne pouvons pas normalement connaître.

Métapsychique : Terme introduit par le physiologiste Charles Richet, pour désigner les phénomènes paranormaux.

Occultisme : Terme utilisé depuis le moyen âge pour désigner les forces cachées de la nature et de l'âme. On utilise actuellement le mot « Parapsychologie » pour désigner l'étude de certains de ces phénomènes.

Para : Préfixe grec signifiant « au-delà » et « à côté ».

Parapsychologie : Discipline qui s'intéresse tout particulièrement aux phénomènes psychiques et physiques qui ne trouvent ni place, ni explication dans l'organisation scientifique traditionnelle.

Percipient : Personne qui reçoit des messages, ou informations par télépathie.

Phénomène paranormal : Phénomène inhabituel et inexplicable. L'E.S.P. et parapsychokinésie sont des phénomènes paranormaux.

Phytopathie : Action télépsychique exercée sur une plante.

Plethysmographie : Appareil servant à mesurer la pression artérielle. Cela permet de connaître les réactions émotionnelles d'un sujet qui reçoit des messages E.S.P. Cet appareil est plus ou moins semblable à celui appelé « détecteur de mensonges ».

Poltergeist : Terme désignant les phénomènes paranormaux de nature physique tels que bruit, flottement d'objet, etc. Les spirites attribuent ces phénomènes aux esprits. Les parapsychologues pensent que ce sont des phénomènes psychokinétiques, provoqués par une personne vivante.

Précognition : Perception paranormale d'un événement futur que personne n'avait pu connaître à l'avance.

Prémonition : Avertissement qui permet de connaître à l'avance un événement imprévisible.

Prophétie : Clairvoyance dans l'avenir.

PSI : Les phénomènes paranormaux sont souvent désignés par la lettre grec PSY. Les facultés *psi* comprennent des faits psychiques tels que la télépathie, la précognition, la clairvoyance, et des faits physiques tels que la psychokinésie.

Psychokinésie : En abrégé P.K. Action exercée à distance par un homme, sur les objets ou matières vivantes (plantes ou animaux). On utilise également le terme télékinésie, et aussi « effet Geller », pour déterminer ce phénomène que la physique n'explique pas.

Psychométrie : Terme peu adéquat, créé par le professeur américain Buchaman, qui est critiqué, à juste titre d'ailleurs, par les psychologues universitaires. Ce terme a été remplacé, à titre personnel, par Raymond Réant, par « Psychopathotactie », du grec *pukê,* « âme », *pathos,* « affection, sensation », et du latin *tactilis, tactus,* « sens du toucher ». Par l'intermédiaire d'un objet, un sensitif peut avoir des informations paranormales et connaître l'histoire d'un objet, son origine, et certains événements marquants de la vie du propriétaire de l'objet, qui sert de support.

Psychopathotactie : Voir à psychométrie ; terme employé par Raymond Réant.

Psychotronique : Terme proposé en 1968 par les chercheurs tchèques, afin de remplacer le vieux terme de parapsychologie, utilisé depuis 1889. Son champ d'investigation : énergie, matière, information. Ce changement de vocabulaire consacre la fin de la terminologie « PARA ».

Radiesthésie : Art que possèdent certains sensitifs de trouver, en s'aidant d'une baguette de sourcier, ou d'un pendule, les filons de minerais ou les cours d'eau souterrains. Egalement utilisée pour la recherche de personnes, ou d'objets perdus et dans le domaine médical, etc. Il arrive que la radiesthésie ne soit pas exercée sur place, mais sur une simple carte d'état-major, ou sur un plan. Il s'agit alors de téléradiesthésie. La radiesthésie est à rapprocher des modes de perception extrasensoriels.

Raps : Terme anglais désignant les bruits insolites produits en présence d'un médium.

Rétrocognition : La rétrocognition, également appelée Postcognition, est la faculté paranormale de connaître les événements passés.

Sensitif : Synonyme de médium (voir ce mot).

Somnambule : Personne plongée dans un sommeil artificiel. La Mesmérisation permettait de plonger les sujets en état de somnambulisme. Ce terme est à rapprocher du mot « Hypnotisme ». L'état somnambulique favorise la perception paranormale d'information.

Spiritisme : Doctrine fondée sur la croyance en une survie de l'esprit après la mort du corps humain. De l'au-delà, les esprits enverraient des messages aux médiums. Les spirites considèrent la plupart des phénomènes paranormaux comme des manifestations des esprits.

S.P.I. : Society for Psychical Resarch, fondé en 1882 en Angleterre.

Sublimal : Au-dessus du seuil de la conscience.

Télékinésie : Voir à Psychokinésie.

Télépathie : Communication de pensée, qui ne fait pas appel aux cinq sens habituels. Terme choisi par F. W. H. Mayers, en 1883.

Télépsychie : Synonyme de télépathie (voir ce mot).

Transe : Perte partielle ou totale de la conscience. Le sujet peut se plonger lui-même en transe, ou y être plongé par suggestion ou par hypnose. Cet état favorise la réception d'information paranormales.

Ubiquité : L'ubiquité consiste à se manifester en deux endroits à la fois.

Visualiser : C'est se représenter mentalement un objet, ou toute autre chose.

TABLE DES MATIÈRES

Imprimé sur les presses de
Métropole Litho Inc.

Tous droits réservés
Dépôt légal — 2e trimestre 1983
Bibliothèque Nationale du Québec
Bibliothèque Nationale du Canada